Roland Barthes

Sade, Fourier, Loyola

Éditions du Seuil

302146

EN COUVERTURE : de gauche à droite et de haut en bas :
Portrait de Sade par Man Ray ; Portrait de Loyola (détail) par
Le Titien ; Phalanstère.

ISBN 2-02-005511-2.
(ISBN 2-02-001957-4, 1re publication.)

Sade, Fourier, Loyola

Du même auteur

AUX MÊMES ÉDITIONS

Le Degré zéro de l'écriture
coll. Pierres vives, 1953 ; *coll. Points,* 1972

Michelet par lui-même
coll. Ecrivains de toujours, 1954

Mythologies
coll. Pierres vives, 1957 ; *coll. Points,* 1970

Sur Racine
coll. Pierres vives, 1963 ; *coll. Points,* 1979

Essais critiques
coll. Tel Quel, 1964

Critique et Vérité
coll. Tel Quel, 1966

Système de la mode
1967

S/Z
coll. Tel Quel, 1970 ; *coll. Points,* 1976

Le Plaisir du texte
coll. Tel Quel, 1973

Barthes par lui-même
coll. Ecrivains de toujours, 1975

Fragments d'un discours amoureux
coll. Tel Quel, 1977

Leçon
1978

AUX ÉDITIONS SKIRA

L'Empire des signes
coll. Sentiers de la création, 1970

PRÉFACE

De Sade à Fourier, ce qui tombe, c'est le sadisme; de Loyola à Sade, c'est l'interlocution divine. Pour le reste, même écriture : même volupté de classification, même rage de découper (le corps christique, le corps victimal, l'âme humaine), même obsession numérative (compter les péchés, les supplices, les passions et les fautes mêmes du compte), même pratique de l'image (de l'imitation, du tableau, de la séance), même couture du système social, érotique, fantasmatique. Aucun de ces trois auteurs n'est respirable; tous font dépendre le plaisir, le bonheur, la communication, d'un ordre inflexible ou, pour être plus offensif encore, d'une combinatoire. Les voilà donc réunis tous les trois, l'écrivain maudit, le grand utopiste et le saint jésuite. Il n'y a dans cet assemblage aucune provocation intentionnelle (s'il y avait provocation, ce serait plutôt de traiter Sade, Fourier et Loyola comme s'ils n'avaient pas eu la foi : en Dieu, en l'Avenir, en la Nature), aucune transcendance (le sadique, le contestataire et le mystique ne sont pas récupérés par le sadisme, la révolution, la religion) et j'ajoute (c'est le sens de cette préface) aucun arbitraire : chacune de ces études, quoique d'abord publiée (en partie) séparément, a été tout de suite conçue pour rejoindre ses voisines dans un même livre : le livre des Logothètes, des fondateurs de langues.

La langue qu'ils fondent n'est évidemment pas une

7

langue linguistique, une langue de communication. C'est une langue nouvelle, traversée par la langue naturelle (ou qui la traverse), mais qui ne peut s'offrir qu'à la définition sémiologique du Texte. Cela n'empêche pas cette langue artificielle (peut-être parce qu'elle est ici fondée par des auteurs anciens, prise dans une double structure classique, celle de la représentation et du style, double prise à laquelle essaye d'échapper la production moderne, de Lautréamont à Guyotat) de suivre en partie les voies de constitution de la langue naturelle; et dans leur activité de logothètes, nos auteurs, semble-t-il, ont eu recours tous les trois aux mêmes opérations.

La première est de s'isoler. La langue nouvelle doit surgir d'un vide matériel; un espace antérieur doit la séparer des autres langues communes, oiseuses, périmées, dont le « bruit » pourrait la gêner : nulle interférence de signes; pour élaborer la langue à l'aide de laquelle l'exercitant pourra interroger la divinité, Loyola exige la retraite : aucun bruit, peu de lumière, la solitude; Sade enferme ses libertins dans des lieux inviolables (château de Silling, couvent de Sainte-Marie-des-Bois); Fourier décrète la déchéance des bibliothèques, six cent mille volumes de philosophie, d'économie, de morale, censurés, bafoués, refoulés dans un musée d'archéologie burlesque, bons pour la distraction des enfants (de la même façon, Sade, entraînant Juliette et Clairwil dans la chambre du carme Claude, y barre d'un trait méprisant tous les érotiques antérieurs qui forment la bibliothèque vulgaire du moine).

La seconde opération est d'articuler. Pas de langues sans signes distincts. Fourier divise l'homme en 1620 passions fixes, combinables mais non transformables; Sade distribue la jouissance comme les mots d'une phrase (postures, figures, épisodes, séances); Loyola morcelle

*le corps (vécu successivement par chacun des cinq sens),
comme il découpe le récit christique (partagé en « mystères », au sens théâtral du mot). Pas de langue non plus
sans que ces signes découpés ne soient repris dans une
combinatoire; nos trois auteurs décomptent, combinent,
agencent, produisent sans cesse des règles d'assemblage;
ils substituent la syntaxe, la* composition *(mot rhétorique
et ignacien), à la création; tous trois fétichistes, attachés
au corps morcelé, la reconstitution d'une totalité ne
peut être pour eux qu'une sommation d'intelligibles :
pas d'indicible, pas de qualité irréductible de la jouissance,
du bonheur, de la communication : rien n'est qui ne soit
parlé : pour Sade et pour Fourier, Éros et Psyché doivent
être* articulés, *tout comme pour Bossuet (reprenant
Ignace contre les mystiques de l'ineffable, saint Jean
de la Croix et Fénelon), la prière doit obligatoirement
passer par le langage.*

*La troisième opération est d'ordonner : non plus seule-
ment agencer des signes élémentaires mais soumettre
la grande séquence érotique, eudémoniste ou mystique
à un ordre supérieur, qui n'est plus celui de la syntaxe
mais celui de la métrique; le discours nouveau est pourvu
d'un Ordonnateur, d'un Maître de cérémonie, d'un Rhé-
toriqueur : chez Ignace, c'est le directeur de la retraite,
chez Fourier, c'est quelque patron ou matrone, chez Sade,
c'est quelque libertin qui, sans autre prééminence que
celle d'une responsabilité passagère et toute pratique,
met en place les postures et dirige la marche générale
de l'opération érotique; il y a toujours quelqu'un pour
régler (mais non : réglementer) l'exercice, la séance,
l'orgie, mais ce quelqu'un n'est pas un sujet; régisseur
de l'épisode, il n'en est qu'un moment, il n'est rien de
plus qu'un morphème de rection, un opérateur de phrase.
Ainsi le rite, demandé par nos trois auteurs, n'est qu'une*

forme de planification : c'est l'ordre nécessaire au plaisir, au bonheur, à l'interlocution divine (de même toute forme du texte n'est jamais que le rituel qui en ordonne le plaisir); seulement cette économie n'est pas appropriative, elle reste « folle », elle dit uniquement que la perte inconditionnelle n'est pas la perte incontrôlée : il faut précisément que la perte soit ordonnée pour qu'elle puisse devenir inconditionnelle : la vacance finale, qui est le déni de toute économie de recel, ne s'obtient elle-même que par une économie : l'extase sadienne, la jubilation fouriériste, l'indifférence ignacienne n'excèdent jamais la langue qui les constitue : n'est-ce pas un rite matérialiste que celui au-delà duquel il n'y a rien?

Si la logothesis *s'arrêtait à la mise en place d'un rituel, c'est-à-dire en somme d'une rhétorique, le fondateur de langue ne serait rien de plus que l'auteur d'un système (ce qu'on appelle couramment un philosophe ou un savant ou un penseur). Sade, Fourier, Loyola sont autre chose : des formulateurs (ce qu'on appelle couramment des écrivains). Il faut en effet, pour fonder jusqu'au bout une langue nouvelle, une quatrième opération, qui est de* théâtraliser. Qu'est-ce que théâtraliser? Ce n'est pas décorer la représentation, c'est illimiter le langage. Bien qu'engagés tous trois, par leur position historique, dans une idéologie de la représentation et du signe, ce que nos logothètes produisent est tout de même déjà du texte; c'est-à-dire qu'à la platitude du style (telle qu'on peut la trouver chez de « grands » écrivains), ils savent substituer le volume de l'écriture. Le style suppose et pratique l'opposition du fond et de la forme; c'est le contre-plaqué d'une substruction; l'écriture, elle, arrive au moment où il se produit un échelonnement de signifiants, tel qu'aucun fond de langage ne puisse plus être repéré; parce qu'il est pensé comme une « forme », le style implique* une « *consistance* »; *l'écriture, pour reprendre une terminologie lacanienne, ne connaît que des* « *insistances* ». *Et c'est ce que font nos trois classificateurs : de quelque façon qu'on juge leur style, bon, mauvais ou neutre, peu importe : ils insistent, et dans cette opération de pesée et de poussée, ne s'arrêtent nulle part; au fur et à mesure que le style s'absorbe en écriture, le système se défait en systématique, le roman en romanesque, l'oraison en fantasmatique : Sade n'est plus un érotique, Fourier n'est plus un utopiste, et Loyola n'est plus un saint : en chacun d'eux il ne reste plus qu'un scénographe : celui qui se disperse à travers les portants qu'il plante et échelonne à l'infini.*

Si donc Sade, Fourier et Loyola sont des fondateurs de langue et s'il ne sont que cela, c'est justement pour ne rien dire, pour observer une vacance (s'ils voulaient dire quelque chose, *la langue linguistique, la langue de la communication et de la philosophie suffirait : on pourrait les* résumer, *ce qui n'est le cas pour aucun d'eux). La langue, champ du signifiant, met en scène des rapports d'insistance, non de consistance : congé est donné au centre, au poids, au sens. La* Logothesis *la moins centrée est certainement celle de Fourier (les passions et les astres sont incessamment dispersés, ventilés), et c'est sans doute pour cela que c'est la plus euphorique. Pour Loyola, certes, on le verra, Dieu est bien la Marque, l'accent interne, le pli profond, et l'on ne disputera pas ce saint à l'Église; cependant, pris dans le feu de l'écriture, cette marque, cet accent, ce pli, finalement manquent : un système logothétique d'une formidable subtilité, à force de chicanes, produit ou veut produire l'indifférence sémantique, l'égalité de l'interrogation, une mantique dans laquelle l'absence de réponse touche à l'absence de répondant. Et pour Sade, il y a bien quelque chose qui* pondère la langue et en fait une métonymie centrée, mais ce quelque chose est le foutre (« Toutes les immoralités s'enchaînent et plus on en réunira à l'immoralité du foutre, plus on se rendra nécessairement heureux »), c'est-à-dire à la lettre la dissémination.

Rien de plus déprimant que d'imaginer le Texte comme un objet intellectuel (de réflexion, d'analyse, de comparaison, de reflet, etc.). Le Texte est un objet de plaisir. La jouissance du Texte n'est souvent que stylistique : il y a des bonheurs d'expression, et ni Sade ni Fourier n'en manquent. Parfois, pourtant, le plaisir du Texte s'accomplit d'une façon plus profonde (et c'est alors que l'on peut vraiment dire qu'il y a Texte) : lorsque le texte « littéraire » (le Livre) transmigre dans notre vie, lorsqu'une autre écriture (l'écriture de l'Autre) parvient à écrire des fragments de notre propre quotidienneté, bref quand il se produit une co-existence. L'indice du plaisir du Texte est alors que nous puissions vivre avec Fourier, avec Sade. Vivre avec un auteur ne veut pas dire forcément accomplir dans notre vie le programme tracé dans ses livres par cet auteur (cette conjonction ne serait pourtant pas insignifiante puisqu'elle forme l'argument du don Quichotte; il est vrai que don Quichotte est encore une créature de livre); il ne s'agit pas d'opérer ce qui a été représenté, il ne s'agit pas de devenir sadique ou orgiaque avec Sade, phalanstérien avec Fourier, orant avec Loyola; il s'agit de faire passer dans notre quotidienneté des fragments d'intelligible (des « formules ») issus du texte admiré (admiré précisément parce qu'il essaime bien);

il s'agit de parler ce texte, non de l'agir, en lui laissant la distance d'une citation, la force d'irruption d'un mot frappé, d'une vérité de langage; notre vie quotidienne devient alors elle-même un théâtre qui a pour décor notre propre habitat social; vivre avec Sade, c'est, à certains moments, parler sadien, vivre avec Fourier, c'est parler fouriériste (vivre avec Loyola? — Pourquoi pas? encore une fois, il ne s'agit pas de transporter dans notre intériorité des contenus, des convictions, une foi, une Cause, ni même des images; il s'agit de recevoir du texte, une sorte d'ordre fantasmatique : savourer avec Loyola la volupté d'organiser une retraite, d'en napper le temps intérieur, d'en distribuer les moments de langage : la jouissance de l'écriture est à peine étouffée par le sérieux des représentations ignaciennes).

Le plaisir du Texte comporte aussi un retour amical de l'auteur. L'auteur qui revient n'est certes pas celui qui a été identifié par nos institutions (histoire et enseignement de la littérature, de la philosophie, discours de l'Église); ce n'est même pas le héros d'une biographie. L'auteur qui vient de son texte et va dans notre vie n'a pas d'unité; il est un simple pluriel de « charmes », le lieu de quelques détails ténus, source cependant de vives lueurs romanesques, un chant discontinu d'amabilités, en quoi néanmoins nous lisons la mort plus sûrement que dans l'épopée d'un destin; ce n'est pas une personne (civile, morale), c'est un corps. Dans le dégagement de toute valeur produit par le plaisir du Texte, ce qui me vient de la vie de Sade n'est pas le spectacle, pourtant grandiose, d'un homme opprimé par toute une société en raison du feu qu'il porte, ce n'est pas la contemplation grave d'un destin, c'est, entre autres, cette façon provençale dont Sade dénommait « milli » (mademoiselle) Rousset, ou milli Henriette, ou milli Lépinai, c'est son manchon blanc lorsqu'il aborda Rose

13

*Keller, ses derniers jeux avec la petite lingère de Cha-
renton (dans la lingère, c'est le linge qui m'enchante),
ce qui me vient de la vie de Fourier, c'est son goût pour
les mirlitons (petits pâtés parisiens aux aromates), sa
sympathie tardive pour les lesbiennes, sa mort parmi les
pots de fleurs; ce qui me vient de Loyola, ce ne sont pas
les pèlerinages, les visions, les macérations et les consti-
tutions du saint, mais seulement « ses beaux yeux, toujours un peu embués de larmes ». Car s'il faut que par
une dialectique retorse il y ait dans le Texte, destructeur
de tout sujet, un sujet à aimer, ce sujet est dispersé, un
peu comme les cendres que l'on jette au vent après la
mort (au thème de l'urne et de la stèle, objets forts,
fermés, instituteurs du destin, s'opposeraient les éclats
du souvenir, l'érosion qui ne laisse de la vie passée que
quelques plis) : si j'étais écrivain, et mort, comme j'aimerais
que ma vie se réduisît, par les soins d'un biographe amical
et désinvolte, à quelques détails, à quelques goûts, à
quelques inflexions, disons : des « biographèmes », dont
la distinction et la mobilité pourraient voyager hors de
tout destin et venir toucher, à la façon des atomes épicu-
riens, quelque corps futur, promis à la même dispersion;
une vie trouée, en somme, comme Proust a su écrire la
sienne dans son œuvre, ou encore un film, à l'ancienne
manière, duquel toute parole est absente et dont le flot
d'images (ce flumen orationis en quoi consiste peut-être
la « cochonnerie » de l'écriture) est entrecoupé, à la façon
de hoquets salutaires, par le noir à peine écrit de l'in-
tertitre, l'irruption désinvolte d'un autre signifiant :
le manchon blanc de Sade, les pots de fleurs de Fourier,
les yeux espagnols d'Ignace.*

*« Seuls les gens qui s'ennuient ont besoin d'illusion »,
disait Brecht. Le plaisir d'une lecture garantit sa vérité.
Lisant des textes et non des œuvres, exerçant sur eux une*

*voyance qui ne va pas chercher leur secret, leur « contenu »,
leur philosophie, mais seulement leur bonheur d'écriture,
je puis espérer arracher Sade, Fourier et Loyola à leurs
cautions (la religion, l'utopie, le sadisme); je tente de
disperser ou d'éluder le discours moral qu'on a tenu sur
chacun d'eux; ne travaillant, comme eux-mêmes l'ont
fait, que sur des langages, je décolle le texte de sa mo-
tion de garantie : le socialisme, la foi, le mal. Par là-
même j'oblige (c'est du moins l'intention théorique de ces
études) à déplacer (mais non à supprimer; peut-être même
à accentuer) la responsabilité sociale du texte. Certains
croient pouvoir en toute assurance situer le lieu de cette
responsabilité : ce serait l'auteur, l'insertion de cet auteur
dans son temps, son histoire, sa classe. Cependant un
autre lieu reste énigmatique, échappe pour l'heure à tout
éclaircissement : le lieu de la lecture. Cet obscurcissement
se produit au moment même où l'on vitupère le plus l'idéologie bourgeoise sans jamais se demander de quel lieu on
parle d'elle ou contre elle : est-ce l'espace du non-discours
(« ne parlons pas, n'écrivons pas : militons »)? est-ce
celui d'un contre-discours (« discourons contre la culture
de classe »), mais fait alors de quels traits, de quelles
figures, de quels raisonnements, de quels résidus culturels?
Faire comme si un discours innocent pouvait être tenu
contre l'idéologie revient à continuer de croire que le
langage peut n'être que l'instrument neutre d'un contenu
triomphant. En fait, il n'y a aujourd'hui aucun lieu de
langage extérieur à l'idéologie bourgeoise : notre langage vient d'elle, y retourne, y reste enfermé. La seule
riposte possible n'est ni l'affrontement ni la destruction,
mais seulement le vol : fragmenter le texte ancien de la
culture, de la science, de la littérature, et en disséminer
les traits selon des formules méconnaissables, de la même
façon que l'on maquille une marchandise volée. Face à*

l'ancien texte, j'essaye donc d'effacer la fausse efflorescence, sociologique, historique, ou subjective des déterminations, visions, projections; j'écoute l'emportement du message, non le message, je vois dans l'œuvre triple le déploiement victorieux du texte signifiant, du texte terroriste, laissant se détacher, comme une mauvaise peau, le sens reçu, le discours répressif (libéral) qui veut sans cesse le recouvrir. L'intervention sociale d'un texte (qui ne s'accomplit pas forcément dans le temps où ce texte paraît) ne se mesure ni à la popularité de son audience ni à la fidélité du reflet économico-social qui s'y inscrit ou qu'il projette vers quelques sociologues avides de l'y recueillir, mais plutôt à la violence qui lui permet d'excéder les lois qu'une société, une idéologie, une philosophie se donnent pour s'accorder à elles-mêmes dans un beau mouvement d'intelligible historique. Cet excès a nom : écriture.

Juin 1971

NOTE

1. *Loyola* n'est qu'un nom de village. Je sais qu'on devrait dire *Ignace*, ou *Ignace de Loyola*, mais je continue à parler de cet auteur comme je me le suis toujours nommé à moi-même : peu importe l'orthonyme de l'écrivain : il ne reçoit pas son nom des règles de l'onomastique mais de la communauté de travail dans laquelle il est pris.

2. *Sade I* a paru dans *Tel Quel*, n° 28, hiver 1967, sous le titre « L'arbre du crime » et dans le tome XVI des Œuvres complètes de Sade, Cercle du Livre précieux, 1967, p. 509-32. *Loyola* a paru dans *Tel Quel*, n° 38, été 1969, sous le titre « Comment parler à Dieu? » et doit servir d'introduction aux *Exercices spirituels*, traduits par Jean Ristat, à paraître aux éditions Christian Bourgois, collection 10 × 18. *Fourier* a paru en partie dans *Critique*, n° 281, octobre 1970, sous le titre « Vivre avec Fourier ». Peu de corrections ont été apportées à ces textes. *Sade II*, une partie du Fourier et la *Vie* de Sade sont inédits.

3. Les éditions de références sont : D.A.F. Sade, *Œuvres complètes*, Paris, Cercle du Livre précieux, 1967, 16 volumes. Charles Fourier, *Œuvres complètes*, Paris, édition Anthropos, 1967, 11 volumes. Ignace de Loyola, *Exercices spirituels*, traduction de François Courel, Desclée de Brouwer, 1963, et *Journal spirituel*, traduction de Maurice Giuliani, Desclée de Brouwer, 1959.

4. Les informations dont il est fait état dans les *Vies* sont de seconde main. Pour Sade, elles proviennent de la biographie monumentale de Sade par Gilbert Lély (Paris, Cercle du Livre précieux, 1966, tomes I et II) et du *Journal inédit* de Sade, préface de Georges Daumas, Paris, Gallimard, collection « Idées » (livre de poche), 1970. Pour Fourier, ces informations proviennent des préfaces de Simone Debout-Oleszkiewicz aux tomes I et VII des Œuvres complètes de Fourier (Paris, Anthropos, 1967).

5. J'ai renoncé à donner une Vie de Loyola. La raison en est que je n'aurais pu écrire cette Vie en conformité avec les principes de *bio-graphie* auxquels il est fait allusion dans la préface; le matériel signifiant m'aurait manqué. Cette carence est historique et je n'avais donc aucune raison de la masquer. Il y a en effet deux hagiographies : celle de la *Légende dorée* (xvᵉ siècle) laisse largement le signifiant faire irruption et emplir la scène (le signifiant, c'est-à-dire le corps martyrisé); celle d'Ignace, moderne, refoule ce même corps : nous ne connaissons du saint que ses yeux embués et sa claudication. Dans le premier livre, c'est le *dit* du corps qui fonde l'histoire de la vie ; dans le second, c'est son *non-dit* : la coupure de l'économie et du signe, repérée dans bien d'autres champs à la charnière du moyen âge et des temps modernes, passe donc également à travers l'écriture de la sainteté. Au-delà (ou en deçà) du signe, vers le signifiant, nous ne savons rien de la vie d'Ignace de Loyola.

Ramon Alejandro a bien voulu dessiner pour ce livre
le salon d'assemblée du Château de Silling.
Je le remercie.

SADE I

On voyage beaucoup dans certains romans de Sade. Juliette parcourt (et dévaste) la France, la Savoie, l'Italie jusqu'à Naples; avec Brisa-Testa, on atteint la Sibérie, Constantinople. Le voyage est un thème facilement initiatique; cependant, bien que *Juliette* commence par un apprentissage, le voyage sadien n'enseigne rien (la diversité des mœurs est reléguée dans la dissertation sadienne, où elle sert à prouver que le vice et la vertu sont des idées toutes locales); que ce soit à Astrakhan, à Angers, à Naples ou à Paris, les villes ne sont que des pourvoyeuses, les campagnes des retraites, les jardins des décors et les climats des opérateurs de luxure[1]; c'est toujours la même géographie, la même population, les mêmes fonctions; ce qu'il importe de parcourir, ce ne sont pas des contingences plus ou moins exotiques, c'est la répétition d'une essence, celle du crime (entendons une fois pour toutes sous ce mot le supplice et la débauche). Si donc le voyage est divers, le lieu sadien est unique : on ne voyage tant que pour s'enfermer. Le modèle du lieu sadien est Silling, le château que Durcet possède au plus profond de la Forêt Noire et dans lequel les quatre libertins des *120 Journées* s'enferment pendant quatre mois avec leur sérail. Ce château est hermétiquement isolé du monde par une suite d'obstacles qui rappellent assez ceux que l'on trouve dans certains contes de fées : un hameau de charbonniers-contrebandiers (qui ne laisseront passer personne), une montagne escarpée, un précipice vertigineux qu'on ne peut franchir que sur un pont (que les

---

1. Ainsi de la neige sibérienne, qui sert à une débauche spéciale.

21

libertins font détruire, une fois enfermés), un mur de dix mètres de haut, une douve profonde, une porte, que l'on fait murer, sitôt entrés, une quantité effroyable de neige enfin.

La clôture sadienne est donc acharnée; elle a une double fonction; d'abord, bien entendu, isoler, abriter la luxure des entreprises punitives du monde; pourtant, la solitude libertine n'est pas seulement une précaution d'ordre pratique; elle est une qualité d'existence, une volupté d'être [1]; elle connaît donc une forme fonctionnellement inutile mais philosophiquement exemplaire : au sein des retraites les mieux éprouvées, il existe toujours, dans l'espace sadien, un « secret », où le libertin emmène certaines de ses victimes, loin de tout regard, même complice, où il est irréversiblement seul avec son objet — chose fort singulière dans cette société communautaire; ce « secret » est évidemment formel, car ce qui s'y passe, étant de l'ordre du supplice et du crime, pratiques très explicites dans le monde sadien, n'a nul besoin d'être caché; à l'exception du secret religieux de Saint-Fond, le secret sadien n'est que la forme théâtrale de la solitude : il désocialise le crime pour un moment; dans un monde profondément pénétré de parole, il accomplit un paradoxe rare : celui d'un acte muet; et comme il n'y a jamais de réel, chez Sade, que la narration, le silence du « secret » se confond entièrement avec le blanc du récit : le sens s'arrête. Ce « trou » a pour signe analogique le lieu même des secrets : ce sont régulièrement des caveaux profonds, des cryptes, des souterrains, des excavations situées au plus bas des châteaux, des jardins, des fossés, dont on remonte seul, sans rien dire [2]. Le secret est donc en fait un voyage dans les entrailles de la

---

1. La neige tombe sur Silling : « On n'imagine pas comme la volupté est servie par ces sûretés-là et ce que l'on entreprend quand on peut se dire : « Je suis seul ici, j'y suis au bout du monde, soustrait à tous les yeux et sans qu'il puisse devenir possible à aucune créature d'arriver à moi; plus de freins, plus de barrières. »
2. Jardins de la Société des Amis du Crime : « Au pied de quelques-uns de ces arbres sont ménagés des trous, où la victime peut à l'instant disparaître. On soupe quelquefois sous ces arbres, quelquefois dans ces trous mêmes. Il y en a d'extrêmement profonds, où l'on ne peut descendre que par des escaliers secrets, et dans lesquels on peut se livrer à toutes les infamies possibles avec le même calme, le même silence que si l'on était dans les entrailles de la terre. »

terre, thème tellurique dont Juliette donne le sens à propos du volcan de Pietra Mala.

La clôture du lieu sadien a une autre fonction : elle fonde une autarcie sociale. Une fois enfermés, les libertins, leurs aides et leurs sujets forment une société complète, pourvue d'une économie, d'une morale, d'une parole et d'un temps, articulé en horaires, en travaux et en fêtes. Ici comme ailleurs, c'est la clôture qui permet le système, c'est-à-dire l'imagination. L'équivalent le plus proche de la cité sadienne serait le phalanstère fouriériste : même projet d'inventer dans tous ses détails un internat humain qui se suffise à lui-même, même volonté d'identifier le bonheur à un espace fini et organisé, même énergie à définir les êtres par leurs fonctions et à régler l'entrée en jeu de ces classes fonctionnelles selon une mise en scène minutieuse, même souci d'instituer une économie des passions, bref, même « harmonie » et même utopie. L'utopie sadienne — comme d'ailleurs celle de Fourier — se mesure beaucoup moins aux déclarations théoriques qu'à l'organisation de la vie quotidienne, car la marque de l'utopie, c'est le quotidien; ou encore : tout ce qui est quotidien est utopique : horaires, programmes de nourriture, projets de vêtement, installations mobilières, préceptes de conversation ou de communication, tout cela est dans Sade : la cité sadienne ne tient pas seulement par ses « plaisirs », mais aussi par ses besoins : il est donc possible d'esquisser une ethnographie du village sadien.

Nous connaissons ce que mangent les libertins. Nous savons par exemple, que le 10 novembre, à Silling, les messieurs se restaurèrent, à l'aube, par une collation improvisée (on avait réveillé les cuisinières), composée d'œufs brouillés, de chincara, de potage à l'oignon et d'omelettes. Ces détails (et bien d'autres) ne sont pas gratuits. La nourriture, chez Sade, est un fait de caste, soumise par conséquent à classification. La nourriture libertine est tantôt signe du luxe sans lequel il n'est pas de libertinage, non parce que le luxe est voluptueux « en soi » — le système sadien n'est pas simplement hédoniste —, mais parce que l'argent qui lui est nécessaire assure le partage des pauvres et des riches, des esclaves et des maîtres : « J'y

veux toujours », dit Saint-Fond en donnant la gestion de sa table à
Juliette, « les mets les plus exquis, les vins les plus rares, les gibiers
et les fruits les plus extraordinaires »; tantôt, ce qui est différent,
signe d'énormité, c'est-à-dire de monstruosité : Minski, M. de Gernande (le libertin qui saigne sa femme tous les quatre jours) font
des repas fabuleux, dont la fable (des dizaines de services, des centaines de plats, douze bouteilles de vin, deux de liqueur, dix tasses
de café) atteste la constitution triomphante du corps libertin. De
plus la nourriture, chez le maître, a deux fonctions. D'une part, elle
restaure, elle répare les énormes dépenses de sperme que produit
la vie libertine; il est peu de parties qui ne soient introduites par un
repas, et compensées ensuite par quelques « confortatifs restaurants »,
chocolat ou rôties au vin d'Espagne. Clairwil, dont les débauches
sont gigantesques, s'astreint à un régime « pensé » : elle ne mange
que de la volaille et du gibier désossés, sous des formes déguisées,
sa boisson ordinaire, en toute saison, est de l'eau sucrée glacée, par-
fumée de vingt gouttes d'essence de citron et de deux cuillerées d'eau
de fleur d'oranger. D'autre part et inversement, administrée, la
nourriture sert à empoisonner, ou tout au moins à neutraliser :
on glisse du stramonium dans le chocolat de Minski pour l'endormir,
du poison dans celui du jeune Rose et de Mme de Bressac pour les
tuer. Substance restaurante ou assassine, le chocolat sadien finit par
fonctionner comme signe pur de cette double économie alimentaire [1].
La nourriture de la seconde caste, celle des victimes, est tout aussi
connue : volaille au riz, compotes, chocolat (encore!) pour le petit
déjeuner de Justine et de ses compagnes, au couvent bénédictin dont
elles forment le sérail. La nourriture des victimes est toujours copieuse,
pour deux raisons fort libertines; la première est que ces victimes
doivent être elles-mêmes restaurées (Mme de Gernande, créature
angélique, une fois saignée, demande des perdreaux et du caneton

---

1. Chocolat restaurant : « Tout est dit : monseigneur, énervé, se recouche; on
lui prépare son chocolat... », ou : « Après son orgie, le roi de Sardaigne m'offrit
la moitié de son chocolat, j'acceptai; nous politiquâmes... » — Chocolat assassin :
« Quand j'aurai bien foutu monsieur son cher fils, nous lui ferons prendre une
tasse de chocolat demain matin... »

de Rouen) et engraissées de façon à fournir à la luxure des « autels » ronds et potelés; la seconde est qu'il faut bien procurer à la passion coprophagique un aliment « abondant, délicat, adouci »; d'où un régime alimentaire étudié avec une précision médicale (du blanc de volaille, du gibier désossé, ni pain, ni salaison, ni graisse, faire manger souvent et précipitamment hors des heures de repas, de façon à produire de demi-indigestions, c'est la recette donnée par la Duclos). Telles sont les fonctions de la nourriture dans la cité sadienne : restaurer, empoisonner, engraisser, évacuer; toutes se déterminent par rapport à la luxure.

Il en est de même pour le vêtement. Cet objet, dont on peut dire qu'il est au centre de toute l'érotique moderne, de la Mode au strip-tease, garde chez Sade une valeur impitoyablement fonctionnelle — ce qui suffirait déjà à distinguer son érotisme de ce que nous entendons par ce mot. Sade ne joue pas perversement (c'est-à-dire moralement) des rapports du corps et du vêtement. Dans la cité sadienne, aucune de ces allusions, provocations et esquives dont notre vêtement est l'objet : l'amour s'y fait immédiatement nu; et en fait de strip-tease, on n'y connaît que le « *Troussez!* » brutal par lequel le libertin enjoint à son sujet de se mettre en position d'être examiné [1]. Certes il existe dans Sade un jeu du vêtement; mais comme pour la nourriture, c'est un jeu clair de signes et de fonctions. Signes, d'abord : lorsque, dans une assemblée, le nu côtoie le vêtement (et par conséquent s'y oppose), c'est-à-dire hors des orgies, il sert à marquer les personnes spécialement humiliées; lors des grandes séances de narration qui ont lieu chaque soir à Silling, tout le sérail est (provisoirement) habillé, mais les parentes des quatre messieurs, tout particulièrement abaissées comme épouses et filles, restent nues. Quant au vêtement lui-même (on ne parle ici que de celui des sérails, le seul qui intéresse Sade), ou bien il signale, par des artifices réglés (couleurs, rubans, guirlandes) les classes de sujets : classes d'âge (combien tout ceci, encore une fois, fait penser à Fourier), classes de fonctions (petits garçons et

---

1. A une exception près, dont il sera parlé plus tard.

petites filles, fouteurs, vieilles), classes d'initiation (les sujets vierges changent de signe vestimentaire après la cérémonie de leur dépucelage), classes de propriété (chaque libertin donne une couleur à son écurie) [1]; ou bien le vêtement est réglé en fonction de sa théâtralité, on lui impose ces protocoles de spectacle qui font chez Sade — hors le « secret » dont on a parlé — toute l'ambiguïté de la « scène », orgie réglée et épisode culturel qui tient de la peinture mythologique, du final d'opéra et du tableau des Folies-Bergère; la substance en est alors communément brillante et légère (gazes et taffetas), le rose y domine, du moins pour les jeunes sujets; tels sont les costumes de caractère, dont sont revêtus chaque soir, à Silling, les quatrains (à l'asiatique, à l'espagnole, à la turque, à la grecque) et les vieilles (en sœurs grises, en fées, en magiciennes, en veuves). Hors ces signes, le vêtement sadien est « fonctionnel », adapté aux devoirs de la luxure : il doit se défaire en une seconde. Une description réunit tous ces traits : celle du vêtement que les messieurs de Silling donnent à leur quatre amants favoris : il s'agit là d'une véritable construction du costume, dont chaque détail est pensé en raison de son spectacle (c'est un petit surtout étroit, leste et dégagé comme un uniforme prussien) et de sa fonction (culotte ouverte en cœur par-derrière, et qui peut tomber d'un seul coup si on lâche le gros nœud de rubans qui la retient). Le libertin est modéliste, comme il est diététicien, architecte, décorateur, metteur en scène, etc.

Puisque l'on fait ici un peu de géographie humaine, il faut dire un mot de la population sadienne. Comment sont-ils, physiquement, ces Sadianites? La race libertine n'existe qu'à partir de trente-cinq ans d'âge [2]; répugnants à tous égards s'ils sont vieux (cas le plus fréquent), les libertins ont pourtant parfois une belle figure, du feu dans le regard, l'haleine fraîche, mais cette beauté est alors compensée

---

1. Le transvestisme est rare chez Sade. Juliette s'y prête une fois, mais d'ordinaire, il semble méprisé comme source d'illusion (on s'en sert négativement, pour déterminer les sujets qui y résistent bien).
2. Seule, Juliette est très jeune; mais il ne faut pas oublier que c'est une apprentie-libertine — et que de plus elle est le sujet de la narration.

par un air cruel et méchant. Les sujets de débauche, eux, sont beaux s'ils sont jeunes, horribles s'ils sont vieux, mais dans les deux cas utiles à la luxure. On voit donc que dans ce monde « érotique » ni l'âge ni la beauté ne permettent de déterminer des classes d'individus. Le classement est certes possible, mais seulement au niveau du discours : il y a, en effet, dans Sade, deux sortes de « portraits ». Les premiers sont réalistes, ils individualisent soigneusement leur modèle, du visage au sexe : « Le président de Curval... était grand, sec, mince, des yeux creux et éteints, une bouche livide et malsaine, le menton élevé, le nez long. Couvert de poils comme un satyre, un dos plat, des fesses molles et tombantes qui ressemblaient plutôt à deux sales torchons flottant sur le haut de ses cuisses, etc. » : ce portrait est du genre « vrai » (au sens que ce mot peut avoir lorsqu'on l'applique traditionnellement à la littérature); il permet donc la diversité; d'une part, chaque description se particularise davantage au fur et à mesure que l'on descend le long du corps, car il est de l'intérêt de l'auteur de mieux décrire des sexes et des fessiers que des visages; et d'autre part le portrait libertin doit rendre compte de la grande opposition morphologique (mais nullement fonctionnelle, tous les libertins étant indifféremment sodomisants et sodomisés) des satyres, secs et poilus (Curval, Blangis) et des cinèdes, blancs et potelés (l'évêque, Durcet). Cependant, au fur et à mesure que l'on passe des libertins à leurs aides, puis à leurs victimes, les portraits s'irréalisent; on parvient ainsi au second portrait sadien : celui des sujets de débauche (et principalement des jeunes filles); ce portrait-là est purement rhétorique, c'est un *topos*. Voici Alexandrine, la fille de Saint-Fond, décidément trop bête pour que Juliette vienne à bout de son éducation : « La plus sublime gorge, de très jolis détails dans les formes, de la fraîcheur dans la peau, du dégagement dans les masses, de la grâce, du moelleux dans l'attachement des membres, une figure céleste, l'organe le plus flatteur, le plus intéressant, et beaucoup de romanesque dans l'esprit. » Ces portraits sont très culturels, renvoyant à la peinture (« faite à peindre ») ou à la mythologie (« la taille de Minerve sous les agréments de Vénus »), ce qui est une bonne manière de les abstraire [1]. Le portrait rhétorique, en effet, quoique parfois assez étendu (car l'auteur ne s'en désintéresse nullement), ne peint rien, ni la chose, ni son effet : il ne fait pas voir (et certainement ne le veut pas); il caractérise très peu (parfois la couleur des yeux, des cheveux); il se contente de nommer des éléments anatomiques dont chacun est parfait; et comme cette perfection, en bonne théologie, est l'être même de la chose, il suffit de dire qu'un corps est parfait pour qu'il le soit : la laideur se décrit, la beauté se dit; ces portraits rhétoriques sont donc vides, dans la mesure même où ce sont des portraits d'être; les libertins, quoiqu'ils puissent être soumis à une certaine typologie, sont dans l'événement, ils obligent donc à des portraits toujours nouveaux; mais comme les victimes, elles, sont dans l'être, elles ne peuvent que rencontrer des signes vides, suscitent toujours le même portrait, qui est de les affirmer, non de les figurer. Ce n'est donc ni la laideur ni la beauté, c'est l'instance même du discours, divisé en portraits-figures et en portraits-signes, qui détermine le partage de l'humanité sadienne [2].

Ce partage ne recouvre pas la division sociale, bien que celle-ci ne soit pas inconnue de Sade. Les victimes sont de tous rangs, et s'il y a une sorte de prime décernée aux sujets nobles, c'est que le « bon ton » est un opérateur capital de luxure [3], en raison de la plus grande humiliation de la victime : dans la pratique sadienne, c'est un agrément sûr que de sodomiser la fille d'un conseiller au Parlement ou un jeune chevalier de Malte. Et si les maîtres, eux, appartiennent toujours aux classes supérieures (princes, papes, évêques, nobles ou

1. Le détail moral, donné en vrac parmi les détails physiques, est fonctionnel : de même que l'esprit, l'intelligence, l'imagination font les bons libertins, de même la sensibilité, la vivacité, le romanesque, la religion font les bonnes victimes. Sade ne connaît d'ailleurs qu'une forme d'énergie, indifféremment physique ou morale : « Nous nourrissions son extase... en la caressant de tous nos moyens physiques et moraux », dit Juliette de la Durand. Et ceci : « J'étais aux nues, je n'existais plus que par le sentiment profond de ma luxure. »
2. Même opposition au niveau des noms propres. Les libertins et leurs aides ont des noms « réalistes », dont la « vérité » ne pourrait être désavouée par Balzac, Zola, etc. Les victimes ont des noms de théâtre.
3. Les « filles du bon ton » forment une classe déterminée de luxure, à l'égal des jeunes garçons, des filles crapuleuses et des vierges.

grands roturiers), c'est qu'on ne peut être libertin sans argent. L'argent sadien, toutefois, a deux fonctions différentes. Il semble d'abord avoir un rôle pratique, il permet l'achat et l'entretien des sérails : pur moyen, il n'est alors ni estimé ni méprisé; on souhaite seulement qu'il ne soit pas un obstacle au libertinage; c'est ainsi que dans la Société des Amis du Crime, une réduction est prévue pour un contingent de vingt artistes ou gens de lettres, peu fortunés, on le sait, à qui « la société, protectrice des arts, veut décerner cette déférence » (nous pourrions aujourd'hui y entrer pour quatre millions légers par an). Mais on s'en doute, l'argent est bien autre chose qu'un moyen : c'est un honneur, il désigne sûrement les malversations et les crimes qui ont permis de l'accumuler (Saint-Fond, Minski, Noirceuil, les quatre traitants des *120 Journées*, Juliette elle-même). L'argent prouve le vice et il entretient la jouissance : non parce qu'il procure des plaisirs (chez Sade, ce qui « fait plaisir » n'est jamais là « pour le plaisir »), mais parce qu'il assure le spectacle de la pauvreté; la société sadienne n'est pas cynique, elle est cruelle; elle ne dit pas : il faut bien qu'il y ait des pauvres pour qu'il y ait des riches; elle dit le contraire : il faut qu'il y ait des riches pour qu'il y ait des pauvres; la richesse est nécessaire parce qu'elle constitue le malheur en spectacle. Lorsque Juliette, suivant l'exemple de Clairwil, s'enferme parfois pour considérer son or, dans une jubilation qui la conduit à l'extase, ce n'est pas la somme de ses plaisirs possibles qu'elle contemple, c'est la somme de ses crimes accomplis, c'est la misère générale, réfractée positivement dans cet or qui, étant là, ne peut être ailleurs; l'argent ne désigne donc nullement ce qu'il acquiert (ce n'est pas une *valeur*), mais ce qu'il retire (c'est un lieu de séparation).

Avoir, en somme, c'est essentiellement pouvoir considérer ceux qui n'ont pas. Ce partage formel recouvre, bien entendu, celui des libertins et de leurs objets. On le sait, ce sont les deux grandes classes de la société sadienne. Ces classes sont fixes, on ne peut émigrer de l'une à l'autre : pas de promotion sociale. Et cependant, il s'agit essentiellement d'une société éducative, ou plus exactement d'une société-école (et même d'une société-internat); mais l'éducation sadienne n'a pas le même rôle chez les victimes et leurs maîtres. Les premières sont parfois soumises à des cours de libertinage, mais ce sont, si l'on peut dire, des cours de technique (leçons de masturbation tous les matins à Silling), non de philosophie; l'école prête à la petite société victimale son système de punitions, d'injustices et de harangues hypocrites (le prototype en est, dans *Justine*, l'établissement du chirurgien Rodin, à la fois école, sérail et laboratoire de vivisection). Chez les libertins, le projet éducatif a une autre ampleur : il s'agit d'arriver à l'absolu du libertinage : Clairwil est donnée pour professeur à Juliette, pourtant déjà fort avancée, et Juliette elle-même est chargée par Saint-Fond d'un préceptorat auprès de sa fille Alexandrine. La maîtrise qui est cherchée ici est celle de la philosophie : l'éducation n'est pas celle de tel ou tel personnage, c'est celle du lecteur. De toute manière, l'éducation ne permet jamais de passer d'une classe à l'autre : Justine, que l'on chapitre combien de fois, ne sort jamais de son état victimal.

Dans cette société très codée, les passages (la société la plus fixiste ne peut s'en priver) sont assurés, non par le mouvement, mais par un système de relais, eux-mêmes fixes. Voici comment, dans son extension la plus grande, on peut établir l'échelle de la société sadienne : 1) les grands libertins (Clairwil, Olympe Borghèse, la Delbène, Saint-Fond, Noirceuil, les quatre traitants des *120 Journées*, le roi de Sardaigne, le pape Pie VI et ses cardinaux, le roi et la reine de Naples, Minski, Brisa-Testa, le faux-monnayeur Roland, Cordelli, Gernande, Bressac, divers moines, évêques, conseillers au Parlement, etc.) ; 2) les aides majeurs, qui forment comme le fonctionnariat du libertinage, comprennent les historiennes et les grandes maquerelles, telle la Duvergier ; 3) viennent ensuite les assistants ; ce sont des sortes de gouvernantes ou de duègnes, mi-domestiques, mi-sujets (la Lacroix, qui assiste le vieil archevêque de Lyon, lui présente à la fois son chocolat et son derrière), ou des valets de confiance, bourreaux ou proxénètes ; 4) les sujets proprement dits sont ou occasionnels (familles, jeunes enfants tombés dans les mains des libertins) ou réguliers, réunis en sérails ; il faut y distinguer les patients principaux, qui font l'objet de séances déterminées, et les *plastrons*, sortes de factionnaires de la débauche, qui accompagnent partout le libertin pour le soulager ou l'occuper ; 5) la dernière classe, ou classe paria, est occupée par les épouses. D'une classe à l'autre, les individus n'ont aucun rapport (hors ceux de la pratique libertine) ; mais les libertins eux-mêmes communiquent de deux façons : par des contrats (celui qui lie Juliette à Saint-Fond est très minutieux) ou par des pactes : celui que concluent Juliette et Clairwil est empreint d'une amitié vive, enflammée. Contrats et pactes sont à la fois éternels (« voilà une aventure qui nous lie pour jamais ») et révocables du jour au lendemain : Juliette précipite Olympe Borghèse dans le Vésuve et finit par empoisonner Clairwil.

Tels sont les principaux protocoles de la société sadienne ; tous, on l'a vu, attestent le même partage, celui des libertins et de leurs victimes. Cependant, bien qu'attendu, ce partage n'est pas encore fondé : tous les traits qui séparent les deux classes sont des effets du partage mais ne le déterminent pas. Qu'est-ce donc qui fait le maître ? qu'est-ce qui fait la victime ? Est-ce la pratique de la luxure (puisqu'elle oblige à séparer les agents des patients), comme on le croit communément depuis que les lois de la société sadienne ont formé ce qu'on appelle le « sadisme » ? Il faut donc interroger maintenant la *praxis* de cette société, étant bien entendu que toute *praxis* est elle-même un code de sens [1], et qu'elle peut s'analyser en unités et en règles.

Sade est un auteur « érotique », on nous le dit sans cesse. Mais qu'est-ce que l'érotisme? Ce n'est jamais qu'une parole, puisque les pratiques ne peuvent en être codées que si elles sont connues, c'est-à-

---

1. Pour Aristote, la *praxis*, science pratique qui ne produit aucune œuvre distincte de l'agent (contrairement à la *potésis*) est fondée sur le choix rationnel entre deux comportements possibles, ou *proaîrésis* : c'est déjà là, évidemment, une conception codée de la *praxis*. On retrouverait cette idée de la *praxis* comme langue dans la conception moderne de la stratégie.

dire parlées [1]; or notre société n'énonce jamais aucune pratique érotique, seulement des désirs, des préambules, des contextes, des sugges-
tions, des sublimations ambiguës, en sorte que pour nous l'érotisme
ne peut être défini que par une parole perpétuellement allusive. A ce
compte-là, Sade n'est pas érotique : on l'a dit, il n'y a jamais chez
lui de « strip-tease » d'aucune sorte, cet apologue essentiel de l'érotique moderne [2]. C'est tout à fait indûment et par une très grande
présomption que notre société parle de l'érotisme de Sade, c'est-à-dire
d'un système qui n'a aucun équivalent chez elle. La différence ne tient
pas à ce que l'érotique sadienne est criminelle et la nôtre inoffensive,
mais à ce que la première est assertive, combinatoire tandis que la
seconde est suggestive, métaphorique. Pour Sade, il n'y a d'érotique que si l'on « *raisonne le crime* » [3]; *raisonner*, cela veut dire philo-
sopher, disserter, haranguer, bref soumettre le crime (terme générique
qui désigne toutes les passions sadiennes) au système du langage articulé ; mais cela veut dire aussi combiner selon des règles précises les
actions spécifiques de la luxure, de façon à faire de ces suites et grou-
pements d'actions une nouvelle « langue », non plus parlée mais
agie ; la « langue » du crime, ou nouveau code d'amour, tout aussi
élaboré que le code courtois.

La pratique sadienne est dominée par une grande idée d'ordre : les
« dérèglements » sont énergiquement réglés, la luxure est sans frein
mais non sans ordre (à Silling, par exemple, toute débauche cesse irré-
vocablement à 2 heures du matin). Innombrables, incessantes sont les
expressions qui renvoient à une construction volontaire de la scène
érotique : *disposer le groupe, arranger tout ceci, exécuter une nouvelle
scène, composer de trois scènes un acte libidineux, former le tableau le
plus neuf et le plus libertin, faire de cela une petite scène, tout s'arrange;*

1. Il va de soi que la langue érotique s'élabore, non seulement dans le langage
articulé, mais dans le langage des images.
2. Voici l'exception dont on a parlé, seule ébauche de strip-tease sadien (il
s'agit du jeune Rose, amené chez Saint-Fond) : « Déculotte-le moi, Juliette,
relève sa chemise sur ses reins, en laissant agréablement tomber sa culotte au
bas de ses cuisses ; j'aime à la folie cette manière d'offrir un cul. »
3. Dans le désert de Sibérie, Brisa-Testa ne rencontre qu'un libertin, le Hongrois
Tergowitz : « Celui-là au moins raisonnait le crime. »

ou au contraire : *toutes les attitudes se dérangent, rompre les attitudes, tout varia bientôt, varier l'attitude*, etc. D'ordinaire la combinatoire sadienne est déterminée par un ordonnateur (un metteur en scène) : « Amis, dit le moine, mettons de l'ordre à ces procédés. », ou : « Voici comment la putain disposa le groupe. » En aucun cas, l'ordre érotique ne doit être débordé : « Un moment, dit la Delbène, tout en feu, un instant, mes bonnes amies, mettons un peu d'ordre à nos plaisirs, on n'en jouit qu'en les fixant. »; d'où une ambiguïté fort comique entre l'admonestation libertine et l'apostrophe professorale, le sérail étant toujours une petite classe (« Un moment, un moment, Mesdemoiselles, dit Delbène en cherchant à rétablir l'ordre... »). Mais parfois aussi l'ordre érotique est institutionnel; personne ne le prend en charge, sinon la coutume : les religieuses libertines d'un couvent de Bologne pratiquent une figure collective, qu'on appelle le chapelet, dans laquelle les ordonnatrices sont des religieuses âgées, placées à chaque neuvaine (ce pour quoi on appelle chacune de ces régisseuses un *pater*). Parfois encore, plus mystérieusement, l'ordre érotique s'instaure tout seul, soit injonction préalable, soit prescience collective de ce qu'il faut faire, soit connaissance des lois structurales qui prescrivent de compléter de telle façon une figure commencée; cet ordre subit et apparemment spontané, Sade l'indique d'un mot : *la scène marche, le tableau s'arrange*. De la sorte, devant la scène sadienne, naît une impression puissante, non d'automatisme, mais de « minutage », ou si l'on préfère, de performance.

Le code érotique est composé d'unités qui ont été soigneusement déterminées et nommées par Sade lui-même. L'unité minimale est la *posture*; c'est la plus petite combinaison que l'on puisse imaginer car elle ne réunit qu'une action et son point corporel d'application; ni ces actions ni ces points n'étant infinis, tant s'en faut, les postures peuvent parfaitement s'énumérer, ce que l'on ne fera pas ici; il suffira d'indiquer qu'outre les actes proprement sexuels (permis et réprouvés), il faut ranger dans ce premier inventaire toutes les actions et tous les lieux susceptibles d'allumer l'« imagination » du libertin, que Krafft-Ebing n'a pas toujours enregistrés, tels l'examen de la victime, son

interrogatoire, le blasphème etc.; et que l'on doit mettre au rang des
éléments simples de la posture, des « opérateurs » particuliers, comme
le lien de famille (inceste ou vexation conjugale), le rang social (on
en a dit un mot), la hideur, la saleté, les états physiologiques, etc. La
posture étant une formation élémentaire, elle se répète fatalement et
l'on peut dès lors la comptabiliser; au sortir d'une orgie que Juliette et
Clairwil ont faite chez les Carmes, un jour de Pâques, Juliette fait ses
comptes : elle a été possédée 128 fois d'une manière, 128 fois d'une
autre, soit 256 fois en tout, etc.[1]. Combinées, les postures composent
une unité de rang supérieur, qui est l'*opération*. L'opération demande
plusieurs acteurs (c'est du moins le cas le plus fréquent); lorsqu'elle
est saisie comme un tableau, un ensemble simultané de postures, on
l'appelle une *figure*; lorsqu'au contraire, on voit en elle une unité
diachronique, se développant dans le temps par succession de postures, on l'appelle un *épisode*. Ce qui limite (et constitue) l'épisode,
ce sont des contraintes de temps (l'épisode est contenu entre deux
jouissances); ce qui limite la figure, ce sont des contraintes d'espace
(tous les lieux érotiques doivent être occupés en même temps). Enfin,
les opérations, s'étendant et se succédant, forment la plus grande
unité possible de cette grammaire érotique : c'est la « scène »
ou la « séance ». Passé la scène, on retrouve le récit ou la
dissertation.

Toutes ces unités sont soumises à des règles de combinaison — ou
de composition. Ces règles permettraient facilement une formalisation
de la langue érotique, analogue aux « arbres » graphiques proposés
par nos linguistes : ce serait en somme l'arbre du crime [2]. Sade lui-
même ne dédaignait pas l'algorithme, comme on le voit dans l'histoire
n° 46 de la 2e partie des *120 Journées* [3]. Dans la grammaire sadienne,
il y a principalement deux règles d'action : ce sont, si l'on veut, les

1. L'imagination de Juliette est éminemment comptable : à un moment, elle
met au point un projet numérique, destiné à corrompre sûrement, par progression
géométrique, toute la nation française.
2. « ... Comme il y a d'assez jolies branches de crime dans toute cette aventure... » (*Juliette*).
3. « Il fait chier une fille A et une autre B; puis il force B... » etc.

procédures régulières par lesquelles le narrateur mobilise les unités de son « lexique » (postures, figures, épisodes). La première est une règle d'exhaustivité : dans une « opération », il faut que le plus grand nombre de postures soient accomplies simultanément; ceci implique d'une part que tous les acteurs présents soient employés en même temps, et si possible dans le même groupe (ou en tout cas, dans des groupes qui se répètent) [1]; et d'autre part, qu'en chaque sujet, tous les lieux du corps soient érotiquement saturés; le groupe est une sorte de noyau chimique dont aucune « valence » ne doit rester libre : toute la syntaxe sadienne est ainsi recherche de la figure totale. Ceci se rattache au caractère panique du libertinage; il ne connaît ni désemploi ni repos; lorsque l'énergie libertine ne peut s'user en scènes ni en harangues, elle pratique tout de même une sorte de régime de croisière : c'est « le taquinisme », durée continue de menues vexations que le libertin fait subir aux objets qui l'entourent. La seconde règle d'action est une règle de réciprocité. Tout d'abord, bien entendu, une figure peut s'inverser : telle combinaison, inventée par Belmor qui l'applique à des filles, est variée par Noirceuil, qui l'applique à des garçons (« donnons une autre tournure à cette fantaisie »). Et puis surtout, dans la grammaire sadienne, il n'y a aucune fonction réservée (à l'exception du supplice). Dans la scène, toutes les fonctions peuvent s'échanger, tout le monde peut et doit être tour à tour agent et patient, fustigateur et fustigé, coprophage et coprophagé, etc. Cette règle est capitale, d'abord parce qu'elle assimile l'érotique sadienne à une langue vraiment formelle, dans laquelle il n'y a que des classes d'actions et non des groupes d'individus, ce qui simplifie beaucoup la grammaire : le sujet de l'acte (au sens grammatical du terme) peut être aussi bien un libertin, un aide, une victime, une épouse; ensuite parce qu'elle dissuade de fonder le partage de la société sadienne sur la particularité des pratiques sexuelles (c'est tout le contraire qui se passe chez nous; nous nous demandons toujours d'un homosexuel

1. L'exemple paroxystique en serait la scène où Bracciani et Chigi (cardinaux de Pie VI), Olympe Borghèse, Juliette, des comparses, un singe, un dindon, un nain, un enfant et un chien forment un groupe difficilement extensible.

2

s'il est « actif » ou « passif »; chez Sade, la pratique sexuelle ne sert jamais à identifier un sujet). Puisque tout le monde peut être sodomite et sodomisé, agent et patient, sujet et objet, puisque le plaisir est possible partout, chez les victimes comme chez les maîtres, il faut chercher ailleurs la raison du partage sadien, que déjà l'ethnographie de cette société n'avait pas permis de découvrir.

En fait, c'est ici le moment de le dire, hors le meurtre, il n'y a qu'un trait que les libertins possèdent en propre et ne partagent jamais, sous quelque forme que ce soit : c'est la parole. Le maître est celui qui parle, qui dispose du langage dans son entier; l'objet est celui qui se tait, reste séparé, par une mutilation plus absolue que tous les supplices érotiques, de tout accès au discours, puisqu'il n'a même aucun droit à recevoir la parole du maître (les harangues ne s'adressent qu'à Juliette et à Justine, victime ambiguë, pourvue d'une parole narratrice). Certes, il y a des victimes — très rares — qui peuvent ergoter sur leur sort, représenter au libertin son infamie (M. de Cloris, Mlle Fontange de Donis, Justine); mais ce ne sont que des voix mécaniques, elles n'ont qu'un rôle de complices dans l'éploiement de la parole libertine. Seule cette parole est libre, inventée, se confondant entièrement avec l'énergie du vice. Dans la cité sadienne, la parole est peut-être le seul privilège de caste qu'on ne puisse réduire. Le libertin en possède toute la gamme, du silence dans lequel s'exerce l'érotisme profond, tellurique, du « secret », jusqu'aux convulsions de parole qui accompagnent l'extase — et tous les usages (ordres d'opérations, blasphèmes, harangues, dissertations); il peut même, suprême propriété, la déléguer (aux historiennes). C'est que la parole se confond entièrement avec la marque avouée du libertin, qui est (dans le vocabulaire de Sade) : l'*imagination :* on dirait presque qu'*imagination* est le mot sadien pour *langage.* L'agent n'est pas fondamentalement celui qui a le pouvoir ou le plaisir, c'est celui qui détient la direction de la scène et de la phrase (nous savons que toute scène sadienne est la phrase d'une autre langue), ou encore : la direction du sens. Au-delà des personnages de l'anecdote, au-delà de Sade lui-même, le « sujet » de l'érotique sadienne n'est donc pas, ne peut

36

être personne d'autre que le « sujet » de la phrase sadienne : les deux instances, celle de la scène et celle du discours, ont le même foyer, la même rection, car la scène n'est que discours. On comprend mieux maintenant sur quoi repose et à quoi tend toute la combinatoire érotique de Sade : son origine et sa sanction sont d'ordre rhétorique.

Les deux codes, en effet, celui de la phrase (oratoire) et celui de la figure (érotique) se relaient sans cesse, forment une même ligne, le long de laquelle le libertin circule avec la même énergie : la seconde prépare ou prolonge indifféremment la première [1], parfois même l'accompagne [2]. En un mot, la parole et la posture ont exactement la même valeur, elles valent l'une pour l'autre : donnant l'une, on peut recevoir l'autre en monnaie : Belmor, nommé président de la Société des Amis du Crime, y ayant prononcé un très beau discours, un homme de soixante ans l'arrête et pour lui témoigner son enthousiasme et sa reconnaissance, « il le supplie de lui prêter son cul » (que Belmor n'a garde de refuser). Rien d'étonnant, donc, à ce que, devançant Freud, mais aussi l'inversant, Sade fasse du sperme le substitut de la parole (et non le contraire), le décrivant avec les termes mêmes qu'on applique à l'art de l'orateur : « La décharge de Saint-Fond était brillante, hardie, emportée, etc. » Mais surtout, le sens de la scène est possible parce que le code érotique bénéficie entièrement de la logique même du langage, manifestée grâce aux artifices de la syntaxe et de la rhétorique. C'est la phrase (ses raccourcis, ses corrélations internes, ses figures, son cheminement souverain) qui libère les surprises de la combinatoire érotique et convertit le réseau du crime en arbre merveilleux : « Il raconte qu'il a connu un homme qui a foutu trois enfants qu'il

1. Delbène et Juliette : « Et ses caresses devenant plus ardentes, nous allumâmes bientôt le feu des passions au flambeau de la philosophie. » Et ailleurs : « Vous m'avez fait mourir de volupté! Asseyons-nous et dissertons. »
2. « Je veux manier vos vits en parlant... Je veux que l'énergie qu'ils retrouveront sous mes doigts se communique à mes discours, et vous verrez mon éloquence s'accroître, non comme celle de Cicéron, en raison des mouvements du peuple entourant la tribune aux harangues, mais comme celle de Sapho, en proportion du foutre qu'elle obtenait de Démophile. »

avait de sa mère, desquels il y avait une fille qu'il avait fait épouser à son fils, de façon qu'en foutant celle-là, il foutait sa sœur, sa fille et sa belle-fille et qu'il contraignait son fils à foutre sa sœur et sa belle-mère. » La combinaison (ici parentale) se présente en somme comme un détour compliqué, le long duquel on se croit perdu, mais qui, tout d'un coup, se ramasse et s'éclaircit : partant d'acteurs divers, c'est-à-dire d'un réel inintelligible, on débouche en un tour de phrase et *grâce précisément à la phrase*, sur un condensé d'inceste, c'est-à-dire sur un sens. On dira à la limite que le crime sadien n'existe qu'à proportion de la quantité de langage qui s'y investit, non point du tout parce qu'il est rêvé ou raconté, mais parce que seul le langage peut le construire. Sade énonce à un moment : « Pour réunir l'inceste, l'adultère, la sodomie et le sacrilège, il encule sa fille mariée avec une hostie. » C'est la nomenclature qui permet le raccourci parental : de l'énoncé simplement constatif, s'élance l'arbre du crime.

C'est donc en définitive l'écriture de Sade qui supporte tout Sade. Sa tâche, dont elle triomphe avec un éclat constant, est de contaminer réciproquement l'érotique et la rhétorique, la parole et le crime, d'introduire tout à coup dans les conventions du langage social les subversions de la scène érotique, dans le même temps où le « prix » de cette scène est prélevé dans le trésor de la langue. Ceci se voit bien au niveau de ce qu'on appelle traditionnellement le style. On sait que dans *Justine*, le code d'amour est métaphorique : on y parle des myrtes de Cythère et des roses de Sodome. Dans *Juliette* au contraire, la nomenclature érotique est nue. L'enjeu de ce passage n'est évidemment pas la crudité, l'obscénité du langage, mais la mise au point d'une autre rhétorique. Sade pratique couramment ce que l'on pourrait appeler la violence métonymique : il juxtapose dans un même syntagme des fragments hétérogènes, appartenant à des sphères de langage ordinairement séparées par le tabou socio-moral. Ainsi de l'Église, du beau style et de la pornographie : « Oui, oui, monseigneur », dit la Lacroix au vieil archevêque de Lyon, l'homme au chocolat confortatif, « et votre Éminence voit bien qu'en ne lui exposant que la partie qu'il désire, j'offre à son libertin hommage le plus joli cul vierge qu'il soit possible d'embrasser [1] ». Ce qui est agité de la sorte, ce sont évidemment, d'une façon très classique, les fétiches sociaux, rois, ministres, ecclésiastiques, etc., mais c'est aussi le langage, les classes traditionnelles d'écriture : la contamination criminelle touche tous les styles de discours : le narratif, le lyrique, le moral, la maxime, le topo mythologique. Nous commençons à savoir que les transgressions du langage possèdent un pouvoir d'offense au moins aussi fort que celui des transgressions morales, et que la « poésie », qui est le langage même des transgressions du langage, est de la sorte toujours contestataire. A ce point de vue, non seulement l'écriture de Sade est poétique, mais encore Sade a pris toutes les précautions pour que cette poésie soit intraitable : la pornographie courante ne pourra jamais récupérer un monde qui n'existe qu'à proportion de son écriture, et la société ne pourra jamais reconnaître une écriture qui est liée structuralement au crime et au sexe.

Ainsi s'établit la singularité de l'œuvre sadienne — et du même coup se profile l'interdit qui la frappe : la cité suscitée par Sade, et que nous avions cru au début pouvoir décrire comme une cité « imaginaire », avec son temps, ses mœurs, sa population, ses pratiques, cette cité-là est entièrement suspendue à la parole, non parce qu'elle est la création du romancier (situation pour le moins banale), mais parce qu'à l'intérieur même du roman sadien il y a un autre livre, livre textuel, tissé de pure écriture, et qui détermine tout ce qui se passe « imaginairement » dans le premier : il ne s'agit pas de raconter, mais de raconter que l'on raconte. Cette situation fondamentale de l'écriture a pour apologue très clair l'argument même des *120 Journées de Sodome* : on sait qu'au château de Silling, toute

---

1. Exemples innombrables de ce procédé : *les passions papales, le fessier ministériel, travailler d'importance le cul pontifical, sodomiser son institutrice*, etc. (procédé repris par Klossovski : *la culotte de l'Inspectrice*). La règle de concordance des temps peut s'en mêler, même si l'effet n'en est comique que pour nous : « Je voudrais que vous baisassiez le cul de mon Lubin. » Faut-il rappeler que si nous paraissons rendre Sade responsable d'effets qu'historiquement il n'a pu prévoir, c'est que pour nous, Sade n'est pas le nom d'un individu, mais d'un « auteur », ou mieux encore d'un « narrateur » mythique, dépositaire à travers le temps de tous les sens que reçoit son discours.

la cité sadienne — condensée en ce lieu — est tournée vers l'*histoire* (ou le groupe d'histoires) qui est solennellement délivrée chaque soir par des prêtresses de la parole, les historiennes [1]. Cette prééminence du récit est établie par des protocoles très précis : tout l'horaire de la journée converge vers son grand moment (le soir), qui est la séance d'histoires; on s'y prépare, tout le monde doit y assister (à l'exception des agents qui serviront la nuit); le salon d'assemblée est un théâtre semi-circulaire, dont le centre est occupé par la chaire élevée de l'historienne; au-dessous de ce trône de parole, les sujets de débauche sont assis, à la disposition des messieurs qui souhaiteraient expérimenter avec eux les propositions avancées par l'historienne; leur statut est bien ambigu, à la manière sadienne, car ils constituent à la fois les unités de la figure érotique et celles de la parole qui s'énonce au-dessus de leur tête : ambiguïté qui tient toute dans leur situation d'*exemples* (de grammaire et de débauche) : la pratique suit la parole et en reçoit absolument sa détermination : ce qui se fait a été dit [2]. Sans la parole formatrice, la débauche, le crime ne pourraient s'inventer, se développer : le livre doit précéder le livre, l'historienne est le seul « acteur » du livre, car la parole en est le seul drame. La première des historiennes, la Duclos, est le seul être qui, dans le monde libertin, soit honoré : ce que l'on honore en elle, c'est *à la fois* le crime et la parole.

Or, par un paradoxe qui n'est qu'apparent, c'est peut-être à partir de la constitution proprement *littéraire* de l'œuvre sadienne que l'on voit le mieux une certaine nature des interdictions dont elle est l'objet. Il arrive assez souvent que l'on donne à la réprobation morale dont on frappe Sade la forme désabusée d'un dégoût esthétique : on déclare que Sade est *monotone*. Bien que toute création soit nécessairement une combinatoire, la société, en vertu du vieux mythe romantique de l' « inspiration », ne supporte pas qu'on le lui dise. C'est pourtant ce qu'a fait Sade : il a ouvert et découvert son œuvre (son

1. Juliette aussi est qualifiée d'historienne.
2. Le crime a exactement la même « dimension » que la parole : lorsque les historiennes en arriveront aux passions meurtrières, le sérail se dépeuplera.

« monde ») comme l'intérieur d'une langue, accomplissant ainsi cette union du livre et de sa critique que Mallarmé nous a rendue si claire. Mais ce n'est pas tout; la combinatoire sadienne (qui n'est pas du tout, comme on le dit, celle de *toute* littérature érotique) ne peut nous paraître monotone que si nous déportons arbitrairement notre lecture, du discours sadien à la « réalité » qu'il est censé représenter ou imaginer : Sade n'est ennuyeux que si nous fixons notre regard sur les crimes rapportés et non sur les performances du discours.

De même, lorsque, n'invoquant plus la monotonie de l'érotique sadienne, mais plus franchement les « monstrueuses turpitudes » d'un « auteur abominable », on en vient, comme fait la loi, à interdire Sade pour des raisons morales, c'est parce qu'on refuse d'entrer dans le seul univers sadien, qui est l'univers du discours. Pourtant, à chaque page de son œuvre, Sade nous donne des preuves d'« irréalisme » concerté : ce qui se passe dans un roman de Sade est proprement fabuleux, c'est-à-dire impossible; ou plus exactement, les impossibilités du référent sont tournées en possibilités du discours, les contraintes sont déplacées : le référent est entièrement à la discrétion de Sade, qui peut lui donner, comme tout conteur, des dimensions fabuleuses, mais le signe, lui, appartenant à l'ordre du discours, est intraitable, c'est lui qui fait la loi. Par exemple : Sade multiplie, dans une même scène, les extases du libertin au-delà de tout possible : il le faut bien, si l'on veut décrire beaucoup de figures en une seule séance : mieux vaut multiplier les extases, qui sont des unités référentielles et par conséquent ne coûtent rien, que les scènes, qui sont des unités du discours et par conséquent coûtent beaucoup. Étant écrivain, et non auteur réaliste, Sade choisit toujours le discours contre le référent; il se place toujours du côté de la *sémiosis*, non de la *mimesis* : ce qu'il « représente » est sans cesse déformé par le sens, et c'est au niveau du sens, non du référent, que nous devons le lire.

C'est évidemment ce que ne fait pas la société qui l'interdit; elle ne voit dans l'œuvre de Sade que l'appel du référent; pour elle, le mot n'est qu'une vitre qui donne sur le réel; le procès créatif qu'elle imagine et sur lequel elle fonde ses lois n'a que deux termes : le « réel » et son expression. La condamnation légale portée contre Sade est donc fondée sur un certain système de la littérature et ce système est celui du réalisme : il postule que la littérature « représente », « figure », « imite »; que c'est la conformité de cette imitation qui s'offre au jugement, esthétique si l'objet en est touchant, instructif, ou pénal, s'il est monstrueux; qu'enfin, imiter, c'est persuader, entraîner : vue d'école, dans laquelle pourtant s'engage toute une société, avec ses institutions. Juliette, « fière et franche dans le monde, douce et soumise dans les plaisirs », séduit énormément; mais celle qui me séduit est la Juliette de papier, l'historienne qui se fait sujet du discours, non sujet de la « réalité ». Devant les excès de la Durand, Juliette et Clairwil ont ce mot profond : « Est-ce que vous avez peur de moi? — Peur! non : mais nous ne te concevons pas. » Inconcevable *dans* la réalité, *fût-elle imaginaire*, la Durand (comme Juliette) le devient cependant dès qu'elle quitte l'instance anecdotique pour atteindre l'instance du discours. La fonction du discours n'est pas, en effet, de « faire peur, honte, envie, impression, etc. », mais de concevoir l'inconcevable, c'est-à-dire de ne rien laisser en dehors de la parole et de ne concéder au monde aucun ineffable : tel est, semble-t-il, le mot d'ordre qui se répète tout au long de la cité sadienne, de la Bastille, où Sade n'exista que par la parole, au château de Silling, sanctuaire, non de la débauche, mais de l' « histoire ».

LOYOLA

1. L'ÉCRITURE

Les jésuites, on le sait, ont beaucoup contribué à former l'idée que nous avons de la littérature. Héritiers et propagateurs de la rhétorique latine à travers l'enseignement dont ils ont eu pour ainsi dire le monopole dans l'ancienne Europe, ils ont légué à la France bourgeoise l'idée du bien-écrire, dont la censure se confond encore souvent avec l'image que nous nous faisons de la création littéraire. Cependant, ce prestige de la littérature, qu'ils ont aidé à former, les jésuites le refusent facilement au livre de leur fondateur : l'exposition des *Exercices* est déclarée « déconcertante », « curieuse », « bizarre »; « tout y est laborieux, écrit un Père, littérairement pauvre. L'auteur ne visait qu'à fournir l'expression la plus juste, la transmission aussi exacte que possible à la Compagnie de Jésus et, par son entremise, à l'Église, du don que lui-même avait reçu de Dieu. » On retrouve ici le vieux mythe moderne selon lequel le langage n'est que l'instrument docile et *insignifiant* des choses sérieuses qui se passent dans l'esprit, le cœur ou l'âme. Ce mythe n'est pas innocent; le discrédit de la forme sert à exalter l'importance du fond : dire : *j'écris mal* veut dire : *je pense bien*. L'idéologie classique pratique dans l'ordre culturel la même économie que la démocratie bourgeoise dans l'ordre politique : une séparation et un équilibre des pouvoirs; un territoire confortable, mais surveillé, est concédé à la littérature, à condition que ce territoire soit isolé, opposé hiérarchiquement à d'autres domaines; c'est ainsi que la littérature, dont la fonction est mondaine,

45

n'est pas compatible avec la spiritualité; l'une est détour, ornement, voile, l'autre est immédiation, nudité : voilà pourquoi on ne peut être à la fois saint et écrivain. Purifié de tout contact avec les séductions et les illusions de la forme, le texte d'Ignace, suggère-t-on, est à peine du langage : c'est la simple voie neutre qui assure la transmission d'une expérience mentale. Ainsi se confirme une fois de plus la place que notre société assigne au langage : décoration ou instrument, on voit en lui une sorte de parasite du sujet humain, qui s'en sert ou s'en revêt, à distance, comme d'une parure ou d'un outil que l'on prend et dépose selon les besoins de la subjectivité ou les convenances de la socialité.

Une autre idée de l'écriture est cependant possible : ni décorative ni instrumentale, c'est-à-dire en somme seconde, mais première, antécédente à l'homme, qu'elle traverse, fondatrice de ses actes comme autant d'inscriptions. Il est alors dérisoire de mesurer l'écriture à ses attributs (en la déclarant « riche », « sobre », « pauvre », « curieuse », etc.). Seule compte l'assertion de son être, c'est-à-dire en somme son sérieux. Étant indifférent aux convenances des genres, des sujets et des fins, le sérieux de la forme, qui n'est pas « l'esprit de sérieux », n'a rien à voir avec le drapé des « belles » œuvres; il peut même être entièrement parodique et se moque des divisions et des hiérarchies que notre société, à des fins de conservation, impose aux actes de langage. Tout « spirituels » qu'ils soient, les *Exercices* d'Ignace sont fondés en écriture. Il n'est pas nécessaire d'être jésuite, ni catholique, ni chrétien, ni croyant, ni humaniste, pour s'y intéresser. Si l'on veut lire le discours d'Ignace, de cette lecture qui est intérieure à l'écriture, et non à la foi, peut-être même y a-t-il quelque avantage à n'être rien de tout cela : les quelques lignes que Georges Bataille a écrites sur les *Exercices* [1], ont aussi leur poids, face aux quelque 1 500 commentaires suscités, depuis sa parution, par ce manuel d'ascèse « universellement prôné ».

1. Dans *L'Expérience intérieure*, Paris, Gallimard, 1954, p. 26.

2. LE TEXTE MULTIPLE

ıNos habitudes de lecture, notre conception même de la littérature font que tout texte nous apparaît aujourd'hui comme la communication simple d'un auteur (en l'occurrence ce saint espagnol qui a fondé au XVIᵉ siècle la Compagnie de Jésus) et d'un lecteur (en l'occurrence nous-mêmes) : Ignace de Loyola aurait écrit un livre, ce livre aurait été publié et aujourd'hui nous le lisons. Ce dessin, douteux pour tout livre (puisque nous ne pouvons jamais manifester définitivement *qui* est l'auteur et *qui* est le lecteur), est assurément faux en ce qui concerne les *Exercices*. Car s'il est vrai qu'un texte se définit par l'unité de sa communication, ce n'est pas *un* texte que nous lisons, mais bien *quatre* textes, disposés dans le profil du petit livre que nous tenons entre les mains.

Le premier texte est celui qu'Ignace adresse au directeur de la retraite. Ce texte représente le niveau littéral de l'œuvre, sa nature objective, historique : la critique nous assure en effet que les *Exercices* n'ont pas été écrits pour les retraitants eux-mêmes, mais pour leurs directeurs. Le second texte est celui que le directeur adresse à l'exercitant; le rapport des deux interlocuteurs est ici différent; ce n'est plus un rapport de lecture ou même d'enseignement, mais de donation, impliquant crédit de la part du destinataire, secours et neutralité de la part du destinateur, comme dans le cas du psychanalyste et du psychanalysé : le directeur *donne* les *Exercices* (à vrai dire, comme on *donne* la nourriture — ou le fouet), il en traite la matière et l'adapte afin de la transmettre à des organismes particuliers (du moins en était-il ainsi autrefois : aujourd'hui, paraît-il, les *Exercices* sont donnés en groupe). Matière traitable, que l'on peut allonger, raccourcir, adoucir, renforcer, ce second texte est en quelque sorte le contenu du premier (ce pour quoi on peut l'appeler texte sémantique); on veut dire par là que, si le premier texte constitue le niveau

propre du discours (tel que nous le lisons dans sa suite), le second
texte en est comme l'argument; par là même, il n'a pas forcément
le même ordre : ainsi, dans le premier texte, les Annotations précèdent les quatre semaines : c'est l'ordre du discours; dans le second
texte, ces mêmes Annotations, portant sur des matières qui peuvent
concerner continûment les quatre semaines, ne leur sont plus anté-
cédentes, mais en quelque sorte paramétriques, ce qui atteste bien
l'indépendance des deux textes. Ce n'est pas tout. Le premier et le
second texte avaient un acteur commun : le directeur de la retraite,
ici destinataire et là donateur. De la même façon, l'exercitant va être
à la fois récepteur et émetteur; ayant reçu le second texte, il en écrit
un troisième, qui est un texte *agi*, composé avec les méditations, le s
gestes et les pratiques qui lui ont été donnés par son directeur : c'es t
en quelque sorte l'exercice des *Exercices*, différent du second texte
dans la mesure où il peut s'en détacher en l'accomplissant impar-
faitement. A qui s'adresse ce troisième texte, cette parole élaborée
par l'exercitant à partir des textes qui le précèdent? Ce ne peut être
qu'à la divinité. Dieu est le destinataire d'une langue dont les paroles
sont ici des oraisons, des colloques et des méditations; chaque exercice est d'ailleurs explicitement précédé d'une prière qui s'adresse à
Dieu pour lui demander de recevoir le message qui va suivre : message essentiellement allégorique, puisqu'il est fait d'images et d'imitations. A ce langage, la divinité est appelée à répondre : il existe
donc, tissée dans la lettre des *Exercices*, une réponse de Dieu, dont
Dieu est le donateur et l'exercitant le destinataire : quatrième texte,
proprement anagogique, puisqu'il faut remonter, de relais en
relais, de la lettre des *Exercices* à leur contenu, puis à leur action,
avant d'atteindre le sens le plus profond, le signe libéré par la
divinité.

I Texte littéral	II Sémantique	III Allégorique	IV Anagogique
Ignace			
le directeur	le directeur		
	l'exercitant	l'exercitant	
		la divinité	la divinité
			l'exercitant

On le voit, le texte multiple des *Exercices* est une structure, c'est-à-dire une forme intelligente : structure des sens, d'abord, car on peut y retrouver cette diversité et ce « prospect » des langues, qui a marqué le rapport établi entre Dieu et la créature par la pensée théologique du moyen âge et que l'on voit dans la théorie des quatre sens de l'Écriture; structure de l'interlocution ensuite (et ceci est sans doute plus important), puisque des quatre interlocuteurs que les textes mettent en jeu, chacun, sauf Ignace, assume un rôle double, étant destinateur ici et là destinataire (encore Ignace, qui inaugure la chaîne des messages, n'est-il rien d'autre, au fond, que l'exercitant qui la clôt : il s'est donné souvent lui-même les *Exercices*, et pour connaître la langue dont la divinité use dans sa réponse, il faudra recourir au *Journal spirituel*, dont Ignace est nommément le sujet). Il s'agit donc d'une structure en relais, où chacun reçoit et transmet. Quelle est la fonction de cette structure dilatoire? C'est de disposer à chaque relais de l'interlocution deux incertitudes. La première naît de ce que les *Exercices* étant adressés au directeur et non au retraitant, celui-ci ne peut (et ne doit) rien savoir à l'avance de la suite des expériences qui lui sont recommandées au fur et à mesure;

49

il est dans la situation du lecteur d'un récit qui vit dans le suspense, un suspense qui le concerne de très près, puisqu'il est aussi acteur de l'histoire dont on lui donne peu à peu les éléments. Quant à la seconde incertitude, elle intervient au second relais du texte quadruple; elle tient à ceci : la divinité recevra-t-elle la langue de l'exercitant et lui donnera-t-elle en retour une langue à déchiffrer? C'est en raison de ces deux incertitudes, à proprement parler structurales, puisqu'elles sont prévues et voulues par la structure, que le texte multiple des *Exercices* est dramatique. Le drame est ici celui de l'interlocution ; d'une part l'exercitant est semblable à un sujet qui parlerait en ignorant la fin de la phrase dans laquelle il s'engage; il vit l'incomplétude de la chaîne parlée, l'ouverture du syntagme, il est séparé de la perfection du langage, qui est sa clôture assertive ; et, d'autre part, le fondement même de toute parole, l'interlocution, ne lui est pas donnée, il lui faut la conquérir, inventer la langue dans laquelle il doit s'adresser à la divinité et préparer sa réponse possible : l'exercitant doit accepter le travail énorme et cependant incertain d'un constructeur de langage, d'un logo-technicien.

3. LA MANTIQUE

L'idée de soumettre la méditation religieuse à un travail méthodique n'était pas neuve; Ignace a pu l'hériter de la *devotio moderna* des mystiques flamands, dont il avait connu, dit-on, les traités d'oraison réglée, pendant son séjour à Montserrat; d'un autre côté, parfois, lorsque par exemple Ignace recommande de prier par rythme en attachant un mot du *Pater* à chaque souffle de la respiration, sa méthode rappelle certaines techniques de l'Église orientale (l'hésychasme de Jean Climaque, ou prière continue liée au souffle), sans parler, bien entendu, des disciplines de la méditation bouddhique; mais ces méthodes (pour s'en tenir à celles qu'a pu connaître Ignace) visaient seulement à accomplir en soi une théophanie intime, une union avec Dieu. Ignace donne à la méthode d'oraison un tout autre but : il s'agit d'élaborer techniquement une interlocution, c'est-à-dire une langue nouvelle qui puisse circuler entre la divinité et l'exercitant. Le modèle du travail d'oraison est ici beaucoup moins mystique que rhétorique, car la rhétorique fut elle aussi la recherche d'un code second, d'une langue artificielle, élaborée à partir d'un idiome donné; l'orateur antique disposait de règles (de sélection et de succession) pour trouver, rassembler et enchaîner les arguments propres à atteindre l'interlocuteur et obtenir de lui une réponse; de la même façon, Ignace constitue un « art », destiné à déterminer l'interlocution divine. Dans l'un et l'autre cas, il s'agit de produire des règles générales qui permettent au sujet de trouver *quoi dire* (*invenire quid dicas*), c'est-à-dire tout simplement de parler : il y a certainement au départ de la rhétorique et de la méditation ignaciennes (dont on verra le détail minutieux, comme s'il fallait réagir à chaque minute contre une inertie de parole) le sentiment d'une aphasie humaine : l'orateur et l'exercitant se débattent à l'origine dans une carence profonde de la parole, comme s'ils n'avaient rien à dire et qu'il faille un effort acharné pour les aider à trouver un langage. C'est sans doute pour cela que l'appareil méthodique installé par Ignace, réglant jours, horaires, postures, régimes, fait penser, dans sa minutie extrême, aux protocoles de l'écrivain (il est vrai, en général, mal connus, et c'est dommage) : celui qui écrit, par une préparation réglée des conditions matérielles de l'écriture (lieu, horaire, carnets, papier, etc.), qu'on appelle communément le « travail » de l'écrivain et qui n'est le plus souvent que la conjuration magique de son aphasie native, tente de capturer « l'idée » (ce à quoi l'aidait le rhéteur), tout comme Ignace cherche à donner les moyens de saisir le signe de la divinité.

La langue que veut constituer Ignace est une langue de l'interrogation. Alors que dans les idiomes naturels, la structure élémentaire de la phrase, articulée en sujet et prédicat, est d'ordre assertif, l'articulation courante est ici celle d'une question et d'une réponse. Cette structure interrogative donne aux *Exercices* leur originalité historique; jusque-là, remarque un commentateur, on se préoccupait plutôt d'accomplir la volonté de Dieu; Ignace veut plutôt trouver cette volonté (Quelle est-elle? Où est-elle? Vers quoi penche-t-elle?), et par là son œuvre rejoint une problématique du signe, et non de la perfection : le champ des *Exercices* est essentiellement celui du signe échangé. Établi entre la divinité et l'homme, ce champ était, du temps des anciens Grecs, celui de la mantique, art de la consultation divine. Langue de l'interpellation, la mantique comprend deux codes : celui de la question adressée par l'homme à la divinité, celui de la réponse renvoyée par la divinité à l'homme. La mantique ignacienne comprend elle aussi ces deux codes; on trouve le premier (ou code de la demande) principalement dans les *Exercices*, le second (ou code de la réponse) dans le *Journal*; mais, on le verra mieux pour finir, on ne peut les dissocier; il s'agit de deux systèmes corrélatifs, d'un ensemble dont le caractère radicalement binaire atteste la nature linguistique.

On peut s'en assurer par un simple coup d'œil sur la structure générale des *Exercices*. Cette structure a été bizarrement discutée : on ne comprenait pas comment les quatre Semaines d'Ignace pouvaient coïncider (puisque, pensait-on, elles le devaient) avec les trois voies (purgative, illuminative, unitive) de la théologie classique. Comment 3 peut-il égaler 4? On s'en tirait en fractionnant la seconde voie en deux parties, correspondant aux deux semaines médianes. L'enjeu de ce débat taxinomique n'est nullement formel. Le schéma ternaire dans lequel on essaye de faire entrer les quatre Semaines recouvre le modèle ordinaire de la *dispositio* rhétorique qui sépare, dans le discours, un début, un milieu et une fin, ou encore celui du syllogisme, avec ses deux prémisses et sa conclusion; c'est un schéma dialectique (fondé sur une idée de maturation), grâce auquel tout processus se trouve naturalisé, rationalisé, acclimaté, pacifié : donner aux *Exercices* une structure ternaire, c'est réconcilier le retraitant, lui donner le réconfort d'une transformation médiatisée. Cependant, aucune raison théologique ne peut prévaloir contre cette évidence structurale : le nombre 4 (puisqu'il y a quatre Semaines de retraite) renvoie, sans transaction possible, à une figure binaire.

Comme l'a indiqué l'un des derniers commentateurs d'Ignace [1], les quatre Semaines s'articulent en deux moments, un *avant* et un *après*; le pivot de ce duel, qui n'est nullement un « espace » médian, mais un centre, c'est, au terme de la seconde Semaine, l'acte de liberté par lequel l'exercitant choisit, conformément à la volonté divine, telle ou telle conduite sur laquelle il était préalablement incertain : c'est ce qu'Ignace appelle : *faire élection*. L'élection n'est pas un moment dialectique, c'est le contact abrupt d'une liberté et d'une volonté; *avant*, ce sont les conditions d'une bonne élection; *après*, ce sont ses conséquences; au milieu, la liberté, c'est-à-dire, substantiellement, *rien*.

L'élection (le choix) épuise la fonction générale des *Exercices*. Le texte s'édulcorant avec les siècles, on en est venu ici et là à donner aux *Exercices* un rôle vague d'édification pieuse; un traducteur du XVIIIe siècle, le père Clément, « casse » les *Exercices* et attribue à chaque Semaine, comme à un organe indépendant, une fonction amovible : pour une bonne confession, la première Semaine, pour une décision importante, la seconde; pour une âme religieuse dans le trouble, les deux dernières. Pourtant, liée à une structure unique, la fonction des *Exercices* ne peut être qu'unique : comme dans toute mantique, elle est de déterminer un choix, une décision. On peut sans doute donner à ce choix une généralité théologique (« Comment unir, à chaque fois, ma liberté à la volonté de l'Éternel? »); mais les *Exercices* sont très matériels, imprégnés d'un esprit de contingence (qui fait leur force et leur saveur); le choix qu'ils préparent et sanctionnent est véritablement pratique. Ignace a donné lui-même un échantillon des matières sur lesquelles il y a lieu de faire élection : le sacerdoce, le mariage, les bénéfices, la manière de diriger une maison, combien il faut donner aux pauvres, etc. Le meilleur exemple d'élection n'est pourtant pas donné par les *Exercices* mais par le *Journal spirituel* : Ignace y fait longuement état de la question à laquelle il s'est efforcé pendant plusieurs mois de répondre en lui-même, sollicitant de Dieu un signe déterminant : fallait-il, dans la

1. G. Fessard, *La Dialectique des Exercices spirituels de saint Ignace de Loyola*, Paris, Aubier, 1956.

constitution de la Société de Jésus, admettre que les Églises eussent le droit d'avoir des revenus? Il arrive un moment de la délibération où c'est *oui* ou *non*, et c'est à cette pointe extrême du choix que doit intervenir la réponse de Dieu. Aussi la langue d'interrogation élaborée par Ignace vise moins la question classique des consultations : *Que faire?* que l'alternative dramatique par laquelle finalement toute pratique se prépare et se détermine : *Faire ceci ou faire cela?* Pour Ignace, toute action humaine est de nature paradigmatique. Or, pour Aristote aussi : la *praxis* est une science et cette science repose sur une opération proprement alternative, la *proaïrésis*, qui consiste à disposer, dans le projet d'une conduite, des points de bifurcation, à en examiner les deux perspectives, à choisir l'une et non l'autre, puis à repartir. C'est là le mouvement même de l'élection, et l'on voit ce qui peut lier la *praxis* et la langue d'interrogation : c'est la forme strictement binaire qu'elles ont en commun : à la dualité de toute situation pratique correspond la dualité d'une langue articulée en demande et en réponse. On comprend mieux, dès lors, l'originalité de ce troisième texte des *Exercices*, de ce code institué par Ignace pour amener Dieu à peser sur la *praxis*: d'ordinaire, les codes sont faits pour être déchiffrés; celui-ci est fait pour déchiffrer (la volonté de Dieu).

4. L'IMAGINATION

L'invention d'une langue, tel est donc l'objet des *Exercices*. Cette invention se prépare par un certain nombre de protocoles, que l'on peut rassembler sous une prescription unique d'isolement : retraite dans un lieu clos, solitaire et surtout inhabituel, conditions de lumière (adaptées au sujet de la méditation), emplacements de la pièce où doit se tenir l'exercitant, postures (à genoux, prosterné, debout, assis, visage vers le ciel), portée du regard, qui doit être retenu, et surtout, bien entendu, organisation du temps, pris entièrement en charge par le code, du réveil au sommeil en passant par les occupations les plus modestes de la journée (s'habiller, manger, se détendre, s'endormir).

Ces prescriptions ne sont pas propres au système d'Ignace, on les retrouve dans l'économie de toutes les religions, mais chez Ignace elles ont ceci de particulier qu'elles préparent l'exercice d'une langue. Comment? En aidant à déterminer ce que l'on pourrait appeler un champ d'exclusion. L'organisation très serrée du temps, par exemple, permet de *napper* entièrement la journée, de supprimer en elle tout interstice par lequel pourrait revenir une parole extérieure; pour être répulsive, la jointure du temps doit être si parfaite qu'Ignace recommande de commencer le temps futur avant même que le temps présent soit épuisé : en m'endormant, penser déjà à mon réveil, en m'habillant, penser à l'exercice que je vais faire : un *déjà* incessant marque le temps du retraitant et lui assure une plénitude qui repousse loin de lui toute langue *autre*. Même fonction, quoique plus indirecte, pour les gestes : c'est la prescription même, non son contenu, qui isole; dans son absurdité, elle déconditionne de l'habituel, sépare l'exercitant de ses gestes antérieurs (différents), repousse l'interférence des langues mondaines qu'il parlait avant d'entrer en retraite (ce qu'Ignace appelle « les paroles oiseuses »). Tous ces protocoles ont pour fonction d'installer dans l'exercitant une sorte de vide linguistique, nécessaire à l'élaboration et au triomphe de la langue nouvelle : le vide est idéalement l'espace antérieur de toute sémiophanie.

C'est selon ce sens négatif, répulsif, qu'il faut interpréter — du moins dans un premier temps — l'imagination ignacienne. Il faut ici distinguer l'imaginaire de l'imagination. L'imaginaire peut être conçu comme un ensemble de représentations intérieures (c'est le sens courant), ou comme le champ de défection d'une image (c'est le sens que l'on trouve chez Bachelard et dans la critique thématique), ou encore comme la méconnaissance que le sujet a de lui-même au moment où il assume de dire et de remplir son *je* (c'est le sens du mot chez J. Lacan). Or, dans tous ces sens, l'imaginaire d'Ignace est très pauvre. Le réseau d'images dont il dispose spontanément (ou qu'il prête à l'exercitant) est à peu près nul, au point que précisément tout le travail des *Exercices* consiste à donner des images à celui qui en est nativement démuni; produites à grand-peine, par une technique

acharnée, ces images restent banales, squelettiques : s'il faut « imaginer » l'enfer, ce seront (souvenirs d'une sage imagerie) des incendies,
des hurlements, du soufre, des larmes; nulle part ces trajets de transformation, ces « avenues du rêve », dont Bachelard a pu constituer sa
thématique, jamais, chez Ignace, l'une de ces singularités de substance, de ces surprises de la matière que l'on trouve chez Rusbrock [1] ou
Jean de la Croix; Ignace substitue très vite, à la description de la
chose imaginée, son chiffre intellectuel : Lucifer est certes assis dans
une sorte de « grande chaire de feu et de fumée », mais pour le reste,
son aspect est simplement « horrible et terrifiant ». Quant au *je* ignacien, du moins dans les *Exercices*, il n'a aucune valeur d'être, il n'est
nullement décrit, prédiqué, sa mention est purement transitive, impé-
rative (« dès que je me réveille, me remettre en mémoire... », « retenir
mes regards », « me priver de toute lumière », etc.); c'est vraiment le
shifter décrit idéalement par les linguistes, auquel son vide psycholo-
gique, sa pure existence locutoire assurent une sorte d'errance à travers des personnes indéfinies. En un mot, chez Ignace, rien qui ressemble à une réserve d'images, si ce n'est rhétorique.

Autant l'imaginaire d'Ignace est nul, autant son imagination est
forte (inlassablement cultivée). Il faut entendre par ce mot, que l'on
prendra au sens pleinement actif qu'il pouvait avoir en latin, l'énergie
qui permet de fabriquer une langue dont les unités seront certes des

1. Voici, chez Rusbrock, une vision de l'enfer : « Les gourmands seront nourris
de soufre et de poix bouillante... Le feu qu'ils avaleront déterminera chez eux
la sueur infernale... Si vous aviez un corps d'airain et si une goutte de cette sueur
vous touchait, vous fondriez. J'ai dans la mémoire un exemple effroyable. Trois
moines vivaient près du Rhin, adonnés à cette hideuse passion. Méprisant le
repas des frères, ils quittaient la communauté à l'heure des repas, pour manger
seuls et à l'écart ce qu'ils avaient préparé pour eux seuls. Deux d'entre eux mou-
rurent subitement... L'un d'eux apparut au survivant et dit qu'il était damné.
Souffrez-vous beaucoup? demanda le vivant. Pour toute réponse, le mort étendit
sa main et laissa tomber une goutte de sueur sur un candélabre d'airain. Le candélabre fondit en moins d'un instant, comme la cire dans une fournaise ardente... »
(Rusbrock, *Œuvres choisies*, trad. par E. Hello, Paris, Poussielgue, 1869, p. 148).
La particularité de substance, c'est, ici, d'avoir imaginé, non la chaleur de l'enfer,
mais la sueur du damné, et cette sueur, non comme aqueuse, mais comme corro-
sive, en sorte que c'est le contraire même du feu infernal, le liquide, qui est son
plus sûr agent.

« imitations », mais nullement des images formées et emmagasinées quelque part dans la personne. Étant activité volontaire, énergie de parole, production d'un système formel de signes, l'imagination ignacienne peut donc et doit avoir d'abord une fonction apotropaïque; elle est, au premier chef, le pouvoir de repousser les images étrangères; comme les règles structurales de la langue — qui ne sont pas ses règles normatives — elle forme un *ars obligatoria* qui fixe moins ce qu'il faut imaginer que ce qu'il n'est pas possible d'imaginer — ou ce qu'il est impossible de ne pas imaginer. C'est ce pouvoir négatif qu'il faut reconnaître d'abord à l'acte fondamental de la méditation, qui est la concentration : « contempler », « fixer », « me représenter à l'aide de l'imagination », « voir des yeux de l'imagination », « me mettre en face de l'objet », c'est d'abord éliminer, c'est même éliminer continûment, comme si, contrairement aux apparences, la fixation mentale d'un objet ne pouvait jamais être le support d'une emphase positive, mais seulement le résidu permanent d'une série d'exclusions actives, vigilantes : la pureté, la solitude de l'image est son être même, au point qu'Ignace fixe, comme son attribut le plus difficile, le temps où elle doit se maintenir (la durée de trois *Pater*, de trois *Ave*, etc.). Une forme légèrement variée de cette loi d'exclusion, c'est l'obligation faite à l'exercitant, d'une part d'occuper tous les sens physiologiques (la vue, l'odorat, etc.) en les consacrant successivement à un même sujet, et d'autre part de ramener toutes les insignifiances de sa vie quotidienne à la langue unique qu'il doit parler et dont Ignace cherche à établir le code : ainsi des nécessités temporelles auxquelles il ne peut échapper, tels la lumière, le temps qu'il fait, la nourriture, l'habillement, dont il faut « profiter » pour les tourner en objets d'image (« Pendant les repas, considérer le Christ notre Seigneur comme si on le voyait manger avec ses Apôtres, sa façon de boire, de regarder, de parler; et tâcher de l'imiter »), selon une sorte d'économie totalitaire, où tout, de l'accidentel au futile et au trivial, doit être récupéré : comme le romancier, l'exercitant est « quelqu'un pour qui rien n'est perdu » (Henry James). Tous ces protocoles préparatoires, en chassant du champ de la retraite les langues mondaines, oiseuses, physiques, naturelles, en un mot les langues *autres*, ont pour but d'accomplir l'homogénéité de la langue à construire, en un mot sa pertinence; ils correspondent à cette *situation de parole*, qui n'est pas intérieure au code (ce pour quoi les linguistes ne l'ont guère étudiée jusqu'à présent), mais sans laquelle l'ambiguïté constitutive du langage atteindrait un seuil intolérable.

5. L'ARTICULATION

Quiconque lit les *Exercices* voit du premier coup d'œil que la matière en est soumise à une séparation incessante, méticuleuse et comme obsessionnelle; ou plus exactement, les *Exercices* sont cette séparation même, à laquelle rien ne préexiste : tout est immédiatement divisé, subdivisé, classé, numéroté en annotations, méditations semaines, points, exercices, mystères, etc. Une opération simple, que le mythe attribue au créateur du monde séparant le jour, la nuit, l'homme, la femme, les éléments et les espèces, fonde continûment le discours ignacien : *l'articulation*. Le concept a chez Ignace un autre nom que l'on retrouve obstinément à tous les niveaux de son œuvre : le *discernement* : discerner, c'est distinguer, séparer, écarter, limiter, énumérer, évaluer, reconnaître la fonction fondatrice de la différence; la *discretio*, mot ignacien par excellence, désigne un geste si originel qu'il peut s'appliquer aussi bien à des conduites (dans le cas de la *praxis* aristotélicienne) et à des jugements (la *discreta caritas*, charité clairvoyante, qui sait distinguer) qu'à des discours : la *discretio* fonde tout langage, puisque tout ce qui est linguistique est articulé.

Les mystiques l'ont bien compris : la fascination et la méfiance qu'ils éprouvent à l'égard du langage se sont exprimées dans un débat très vif autour du discontinu de l'expérience intérieure : c'est le problème des « appréhensions distinctes [1] ». Même lorsque le terme de l'expérience mystique est défini comme un au-delà du langage, où s'abolit sa marque même, qui est l'existence d'unités articulées, les

1. Voir Jean Baruzi, *Saint Jean de la Croix et le problème de l'expérience mystique*, Paris, Félix Alcan, 1924.

états antérieurs sont classés, une langue inaugurale est décrite :
Thérèse d'Avila discerne la méditation, l'union, le ravissement, etc.,
et Jean de la Croix, qui est certainement allé plus loin que Thérèse
dans l'abolition du discontinu, établit un code minutieux des appréhensions (corporelles extérieures, corporelles intérieures, distinctes
et particulières, confuses, obscures et générales, etc.). L'articulation apparaît à tous comme la condition, le gage et la fatalité du
langage : pour dépasser le langage, il faut épuiser l'articulation,
l'exténuer après l'avoir reconnue. On le sait, ce n'est pas là le but
d'Ignace : la théophanie qu'il cherche méthodiquement est en fait
une sémiophanie, ce qu'il travaille à obtenir, c'est le signe de Dieu,
plus que sa connaissance ou sa présence; le langage est son hori-
zon définitif, et l'articulation une opération qu'il ne peut jamais
abandonner au profit d'états indistincts — ineffables.

Les unités découpées par Ignace sont très nombreuses. Les unes
sont temporelles : semaines, jours, moments, temps. D'autres sont
oratoires : exercices, contemplations, méditations (au caractère essentiellement discursif), examens, colloques, préambules, prières. D'autres enfin sont, si l'on peut dire, seulement méta-linguistiques : annotations, additions, points, manières, notes. Cette variété de distinc-
tions (dont le modèle est évidemment scolastique) provient, comme
on l'a vu, de la nécessité d'occuper la totalité du territoire mental
et par conséquent de subtiliser à l'extrême les canaux par lesquels
l'énergie de parole va recouvrir et pour ainsi dire colorier la demande
de l'exercitant. Ce qui doit être transporté à travers ce réseau varié
de *distinguo*, c'est une matière unique : l'image. L'image est très
précisément une unité d'imitation; on divise la matière imitable (qui
est principalement la vie du Christ) en fragments tels qu'ils puissent
être contenus dans un cadre et l'occuper entièrement; les corps incandescents de l'enfer, les cris des damnés, le goût amer des larmes, les
personnages de la Nativité, ceux de la Cène, le salut de l'ange Ga-
briel à la Vierge, etc., autant d'unités d'image (ou « points »). Cette
unité n'est pas immédiatement anecdotique; à elle seule elle ne fait
pas forcément une scène complète, mobilisant, comme au théâtre,

plusieurs sens en même temps : l'image (l'imitation) peut être purement visuelle, ou purement auditive, ou purement tactile, etc. Ce qui la
fonde, c'est que l'on puisse l'enfermer dans un champ homogène, ou,
mieux encore, la *cadrer*; mais le cadre que lui donne Ignace, issu en
général des catégories rhétoriques ou psychologiques de l'époque
(les 5 sens, les 3 puissances de l'âme, les personnages, etc.), est le
produit volontaire d'un code, il a peu de rapport avec cette fascination de l'objet découpé, du détail solitaire et cerné, imprimée par
l'extase dans la conscience mystique ou hallucinée : ainsi de Thérèse
recevant brusquement la vision des seules mains du Christ « d'une
beauté si merveilleuse que je suis impuissante à en faire la peinture »,
ou du mangeur de haschisch appelé à s'absorber pendant des heures,
selon Baudelaire, dans la considération d'un rond bleuâtre de fumée.
L'image d'Ignace n'est séparée que dans la mesure où elle est articulée :
ce qui la constitue, c'est qu'elle soit prise à la fois dans une différence
et une contiguïté (de type narratif); elle s'oppose ainsi à la « vision »
(qu'Ignace a connue et dont il fait état dans son *Journal*), peu distincte,
élémentaire, et surtout erratique (« Senti ou vu de façon très lumineuse
l'être même ou l'essence divine, sous une forme sphérique un peu plus
grande que ne paraît le soleil »). L'image ignacienne n'est pas une *vision*,
elle est une *vue*, au sens que ce mot a dans l'art de la gravure (« Vue
de Naples », « Vue du Pont-au-Change », etc.); encore cette « vue »
doit-elle être prise dans une séquence narrative, un peu à la façon de la
sainte Ursule de Carpaccio ou des illustrations successives d'un roman.

Ces vues (en étendant le sens du mot, puisqu'il s'agit de toutes
les unités de la perception imaginaire) peuvent « encadrer » des sa-
veurs, des odeurs, des sons ou des sensations, mais c'est la vue « visuelle », si l'on peut dire, qui reçoit tous les soins d'Ignace. Les sujets
en sont variés : un temple, une montagne, une vallée de larmes, l'appar-
tement de la Vierge, un camp guerrier, un jardin, le sépulcre, etc.; le
détail en est minutieux (considérer la longueur d'un chemin, sa lar-
geur, s'il est en plaine ou à travers vallées et collines, etc.). Ces vues,
dont la suggestion précède en principe tout exercice, c'est la célèbre
composición viendo el lugar. La composition de lieu avait derrière elle

une double tradition. Tout d'abord une tradition rhétorique; la seconde sophistique ou néo-rhétorique alexandrine avait consacré la description de lieu sous le nom de *topographie*; Cicéron recommande de considérer, lorsqu'on parle d'un lieu, s'il est plat, montueux, uni, escarpé, etc. (c'est exactement ce que dit Ignace); et Aristote, constatant que pour se souvenir des choses, il suffit de reconnaître le lieu où elles se trouvent, inclut le *lieu* (*topos*), commun ou spécial, dans sa rhétorique du probable; chez Ignace, le lieu, pour matériel qu'il soit, a cette fonction logique : il a une force associative, qu'Ignace cherche à exploiter. Ensuite, une tradition chrétienne, qui remonte au haut moyen âge; tradition refusée d'ailleurs par Thérèse d'Avila, incapable, disait-elle, de faire travailler son imagination sur des lieux donnés, mais qu'Ignace a systématisée, au point de vouloir publier, à la fin de sa vie, un livre où les compositions de lieu auraient été figurées, gravées (le père Jérôme Nadal fut chargé de préparer un volume d'estampes sur les scènes évangéliques codées par les *Exercices*, et au XVIIIe siècle, le manuel d'Ignace fut abondamment illustré). On verra pour finir que l'ampleur exceptionnelle, et exceptionnellement systématique, donnée par Ignace au langage des « vues » imaginaires a une portée historique et pour ainsi dire, dogmatique; mais la première originalité de ce langage est d'ordre sémiologique : Ignace a lié l'image à un ordre du discontinu, il a articulé l'imitation, et il a fait ainsi de l'image une unité linguistique, l'élément d'un code.

6. L'ARBRE

L'articulation imprimée à l'image divise une contiguïté; elle est d'ordre syntagmatique et correspond à cette opposition des unités au sein de la phrase que les linguistes appellent « contraste ». La langue ignacienne comporte aussi l'ébauche d'un système d'oppositions virtuelles ou paradigmatiques. Ignace pratique inlassablement cette forme exaspérée du binarisme qu'est l'antithèse; toute la seconde Semaine, par exemple, est réglée par l'opposition des deux règnes, des deux étendards, des deux camps, celui du Christ et celui de Lucifer, dont les attributs se contrarient un à un; tout signe d'excellence détermine immanquablement le creux où il prend structuralement appui pour signifier : la sagesse de Dieu et mon ignorance, sa toute-puissance et ma faiblesse, sa justice et mon iniquité, sa bonté et ma malice, autant de couples paradigmatiques. On sait que Jakobson a pu définir le « poétique » comme l'actualisation et l'extension d'une opposition systématique sur le plan de la chaîne parlée; le discours d'Ignace est fait de ces extensions qui, si l'on veut bien les projeter graphiquement, prennent l'allure d'un réseau de nœuds et d'embranchements; réseau relativement simple lorsque les embranchements sont des bifurcations (on appelait précisément *binaire*, aux XIVᵉ et XVᵉ siècles, le choix impliqué par un cas de conscience), mais qui peuvent atteindre une complication extrême lorsque les embranchements sont multiples. Le développement du discours ressemble alors à l'éploiement d'un arbre, figure bien connue des linguistes. Voici, esquissé, l'arbre de la première Semaine :

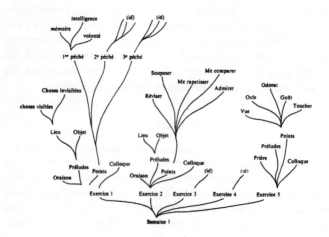

Il est utile de se représenter l'arborescence continue du discours igna
cien, car on le voit alors s'épanouir à la façon d'un organigramme-
destiné à régler la transformation d'une demande en langage, ou
encore : la production d'un chiffre capable d'exciter la réponse de la
divinité. Les *Exercices* sont un peu une machine, au sens cybernétique
du terme : on y introduit un « cas » brut, qui est la matière de l'élection ; il doit en sortir, non certes une réponse automatique, mais une
demande codée, et par là même « acceptable » (au sens que ce mot
peut avoir en linguistique). On verra que l'arbre ignacien a pour fin
paradoxale d'*équilibrer* les éléments du choix, et non, comme on
pourrait s'y attendre, de privilégier l'un d'eux ; car ce qui est codé, c'est
l'appel au signe de Dieu, mais non point directement ce signe lui-
même.

7. TOPIQUES

L'arbre d'Ignace suggère l'idée d'une poussée, d'une conduite
de la demande (objet de l'Exercice) à travers un entrelacs de branchess
mais pour se subdiviser, le thème soumis à la méditation a besoin
d'un appareil supplémentaire, qui lui tende l'éventail de ses possibles ;
cet appareil est une topique. La topique, partie importante de l'*in-
ventio*, réserve des lieux communs ou spéciaux, où l'on pouvait puiser
la prémisse des enthymèmes, a eu une fortune énorme dans toute
l'ancienne rhétorique. « Région des arguments », « cercle », « sphère »,
« source », « puits », « arsenal », « ruche », « trésor où dorment les
idées », les rhéteurs n'ont cessé de célébrer en elle le moyen absolu
d'avoir quelque chose à dire. Forme préexistante à toute invention,
la topique est une grille, une tablature de cases à travers laquelle on
promène le sujet à traiter (la *quaestio*) ; de ce contact méthodique naît
l'idée — ou du moins son début, que le syllogisme aura à charge de
prolonger en quelque sorte mécaniquement. La topique a donc tous
les prestiges d'un arsenal des puissances latentes. Il a existé bien des
topiques, depuis la topique purement formelle d'Aristote, jusqu'à

la « topique sensible » de Vico; et l'on peut dire que même après sa mort, bien des discours en prolongent le procédé sans en assumer le nom.

On imagine le profit qu'Ignace pouvait tirer de cet instrument: le sujet de la méditation (toujours posé sous forme de demande à Dieu dans l'un des préambules de l'Exercice) est confronté méthodiquement, point par point, avec les termes d'une liste, de façon à faire surgir les images dont Ignace compose sa langue. Les listes d'Ignace (ses topiques) sont principalement : les dix Commandements, les sept Péchés capitaux, les trois puissances de l'âme (mémoire, entendement, volonté), et surtout les cinq sens; ainsi l'imagination de l'Enfer consiste à le percevoir cinq fois de suite sous le mode de chacun des cinq sens : voir les corps incandescents, entendre les cris des damnés, sentir le cloaque de l'abîme, goûter l'amertume des larmes, toucher le feu. Bien plus : dans la mesure où le sujet lui-même peut se subdiviser en points particuliers et où il est requis de faire passer chacun de ces points à travers toutes les cases de la topique, c'est à un véritable tissage de la méditation que l'exercitant doit procéder, les points du sujet fournissant la trame et les cases de la topique fournissant la chaîne; ainsi, chacun des trois péchés, celui des Anges, celui d'Adam et celui d'un homme, doit être parcouru trois fois, selon les trois avenues de la mémoire, de l'entendement et de la volonté. Ici encore joue la loi d'économie totalitaire dont on a déjà parlé : tout est recouvert, nappé, épuisé.

Ignace imagine même une topique libre, proche de l'association d'idées : la seconde manière de prier consiste à « contempler le sens de chacun des mots d'une prière ... On dira le mot *Pater*. On restera à considérer ce mot aussi longtemps que l'on trouvera des sens, des comparaisons, du goût et de la consolation dans les considérations se rapportant à ce mot »; on peut ainsi rester une heure sur l'ensemble du *Pater*. Il s'agit là d'une technique très générale : c'est un mode de concentration bien connu au moyen âge sous le nom de *lectio divina*, et dans le bouddhisme, sous celui de *nemboutsou*, ou méditation du nom de Bouddha. Gracian en a donné une version baroque,

plus littéraire, qui consiste à décomposer le nom en ses thèmes éty-
mologiques, fussent-ils fantaisistes (*Di-os*, celui qui nous a donné la
vie, la fortune, nos enfants, etc.) : c'est l'*agudeza nominal*, sorte
d'*annominatio* rhétorique. Mais alors que, pour le bouddhiste, la
concentration nominale doit produire un vide, Ignace recommande
une exploration de tous les signifiés d'un seul nom, pour en faire la
somme ; il veut arracher à la forme l'étendue de ses sens, et de la sorte
exténuer le sujet — ce sujet qui est doté, dans notre terminologie,
d'une ambiguïté savoureuse, puisqu'il est à la fois *quaestio* et *ego*,
objet et agent du discours.

8. ASSEMBLAGES

Ce qui a été articulé doit être rassemblé. Le texte de l'exercitant
comporte deux grandes formes d'assemblage, la répétition et le récit.

La répétition est un élément capital de la pédagogie des *Exercices*.
Il y a tout d'abord la répétition littérale, qui consiste à refaire entièrement un Exercice dans sa marche et son détail ; c'est la *rumination*
(le mot est d'Ignace). Il y a ensuite la récapitulation, vieux schéma
classique de la *summatio*, repris abondamment pendant des siècles :
au septième jour de la troisième Semaine, Ignace recommande ainsi
de reprendre et de considérer tout l'ensemble de la Passion. Il y a enfin
la répétition variée, celle qui consiste à reprendre un sujet en en changeant le point de vue ; si, par exemple, au bord de l'élection, je m'arrête en pensée sur un choix, je dois considérer ce qu'il sera advenu de
ce choix au jour de ma mort, puis au jour du Jugement dernier. La
répétition consiste à épuiser les « pertinences » d'un sujet : on répète,
en variant un peu, pour être sûr de bien recouvrir. Le modèle
complexe de la répétition ignacienne pourrait bien être la formule quadruple qui résume, dit-on, les quatre Semaines des *Exercices* :
1. *Deformata reformare*, 2. *Reformata conformare*, 3. *Conformata con-
firmare*, 4. *Confirmata transformare;* avec deux racines et quatre

préfixes, non seulement tout est énoncé, mais encore répété comme dans un ensemble dont les pièces se recouvrent un peu les unes les autres, de façon à assurer une jointure parfaite. La répétition ignacienne n'est pas mécanique, elle a une fonction de fermeture, ou plus exactement de chicane : les fragments répétés sont comme les murs — ou les entailles — d'un redan.

La seconde forme d'assemblage est le récit. Il faut entendre par là, au sens formel, tout discours pourvu d'une structure dont les termes sont différenciés, relativement libres (s'offrant à l'alternative, et par conséquent au suspense), réductibles (c'est le résumé) et expansibles (on peut y intercaler à l'infini des éléments secondaires). Les méditations élaborées par Ignace à partir d'un découpage du grand récit évangélique, dont les épisodes sont donnés à la fin des *Exercices* sous le nom de *mystères*, possèdent ces caractères; on peut les résumer (le résumé en est donné généralement dans l'un des préambules : c'est l'*histoire*, la *narratio* cicéronienne, l'exposé des faits, *rerum explicatio*, le premier dépliement de la chose); on peut aussi les augmenter, les dilater, comme Ignace l'indique expressément; elles possèdent enfin l'attribut pathétique de la structure narrative : le suspense; car si l'histoire du Christ est connue et ne comporte aucune surprise anecdotique, il est toujours possible de dramatiser son retentissement, en reproduisant en soi la forme du suspense, qui fait l'ombre tardive ou incertaine à se dissiper; lorsqu'il récite la vie du Christ, l'exercitant ne doit pas se hâter, il doit en épuiser chaque station, faire chaque Exercice sans s'informer du suivant, ne pas laisser advenir trop tôt, hors de leur place, des mouvements de consolation, en un mot respecter le suspense des sentiments, sinon celui des faits. C'est en vertu de cette structure narrative, que les « mystères » découpés par Ignace dans le récit christique ont quelque chose de théâtral, qui les apparente aux mystères médiévaux : ce sont des « scènes », qu'il est demandé à l'exercitant de vivre, à la façon d'un psychodrame.

L'exercitant est en effet appelé à s'investir aussi bien dans le récit que dans la répétition. Il doit répéter ce qui, dans chaque récit, le déprime, le console, le traumatise, le ravit; il doit **vivre l'anecdote**

en s'identifiant au Christ : « demander la douleur avec le Christ dou-
loureux, le déchirement avec le Christ déchiré ». L'Exercice implique
fondamentalement un *plaisir* (au sens ambigu que nous pouvons
aujourd'hui reconnaître à ce mot), et le théâtre ignacien est moins
rhétorique que fantasmatique : la « scène » y est, en fait, un « scénario ».

9. LE FANTASME

« Les *Exercices*, dit un commentateur jésuite [1], sont un lieu redou-
table et désirable à la fois... » Celui qui lit les *Exercices* ne peut être
en effet que frappé par la masse de désir qui s'agite ici. La force immédiate de ce désir se lit dans la matérialité même des objets dont Ignace
demande la représentation : lieux dans leur dimension exacte, complète,
personnages dans leurs costumes, leurs attitudes, leurs actions,
leurs paroles directes. Les choses les plus abstraites (qu'Ignace appelle
« invisibles ») doivent trouver quelque mouvement matériel où se
peindre et finir en tableau vivant : s'il faut susciter la Trinité, ce sera
sous la forme de trois personnes en train de regarder les hommes qui
descendent vers l'enfer; mais le fond, la force de la matérialité, le
chiffre immédiat du désir, c'est, bien entendu, le corps humain; corps
sans cesse mobilisé dans l'image par le jeu même de l'imitation qui
établit une analogie littérale entre la corporéité de l'exercitant et
celle du Christ, dont il s'agit de retrouver l'existence, presque phy-
siologique, par une anamnèse personnelle. Le corps dont il s'agit
chez Ignace n'est jamais conceptuel : c'est toujours *ce* corps : si je
me transporte dans une vallée de larmes, il faut imaginer, voir *cette*
peau, *ces* membres parmi les corps des animaux et percevoir l'infec-
tion qui sort de cet objet mystérieux dont le démonstratif (*ce* corps)
épuise la situation, puisqu'il ne peut être jamais que désigné, non
défini. Le déictisme du corps est renforcé par la voie qui le transmet,

1. F. Courel, Introduction aux *Exercices spirituels*, Desclée de Brouwer, 1960.

l'image. L'image est en effet, par nature, déictique, elle désigne, ne définit pas; il y a toujours en elle un résidu de contingence, qui ne peut être que pointé du doigt. Sémiologiquement, l'image entraîne toujours plus loin que le signifié, vers la pure matérialité du référent. Ignace suit toujours cet emportement, qui veut fonder le sens en matière et non en concept; se plaçant devant la croix (plaçant ce corps-là devant la croix), il cherche à dépasser le signifié de l'image (qui est le sens chrétien, universellement médité) vers son référent, qui est la croix matérielle, ce bois croisé, dont, par les sens imaginaires, il essaye de percevoir tous les attributs circonstanciels. Cette remontée vers la matière, qui formera l'essentiel du réalisme dévot, dont Renan déplorait « la révoltante crudité », est conduite à la façon d'une fantaisie consciente, d'une improvisation réglée (n'est-ce pas le sens du *Phantasieren* musical et freudien?) : dans la pièce close et obscure où l'on médite, tout est prêt pour la rencontre fantasmatique du désir, formé à même le corps matériel, et de la « scène », venue des allégories de désolation et des mystères évangéliques.

Car ce théâtre, tout est fait pour que l'exercitant s'y représente lui-même : c'est son corps qui va l'occuper. Le développement même de sa retraite, au long des trois dernières semaines, suit l'histoire du Christ : il naît avec lui, voyage avec lui, mange avec lui, s'engage avec lui dans la Passion. L'exercitant est sans cesse requis d'imiter deux fois, d'imiter ce qu'il imagine : penser au Christ « comme si on le voyait manger avec ses Apôtres, sa façon de boire, de regarder, de parler; et tâcher de l'imiter ». Le thème christomorphique a toujours fasciné Ignace : étudiant à Paris et cherchant un emploi auprès d'un régent, « il imaginait que son maître serait le Christ, qu'à l'un des étudiants il donnerait le nom de saint Pierre, à un autre celui de saint Jean... Et quand le maître me donnera un ordre, je penserai que c'est le Christ qui me le donne [1] ». L'existence déiforme (selon la notation de Rusbrock) fournit la scène, le matériel anecdotique du fantasme; dans celui-ci, on le sait, car c'en est la définition, le sujet doit être

1. *Récit du Pèlerin*, Desclée de Brouwer, 1956, p. 112.

présent [1] : *quelqu'un* d'actuel (Ignace, l'exercitant, le lecteur, peu
importe) prend sa place et son rôle dans la scène : le *je* apparaît : « Imaginant le Christ notre Seigneur devant moi, placé sur la croix, lui
demander dans un colloque », etc.; devant les acteurs de la Nativité,
« moi, me faire un petit pauvre et un petit esclave indigne, qui les
regarde, les contemple et les sert dans leurs besoins, comme si je me
trouvais présent »; « je suis un chevalier humilié devant toute une
cour et son roi [2] »; « je suis un pécheur avec des chaînes devant son
juge », etc. Ce *je* profite de tous les arguments fournis par le canevas
évangélique, pour accomplir les mouvements symboliques du désir :
humiliation, jubilation, crainte, effusion, etc. Sa plasticité est absolue :
il peut se transformer, se rapetisser selon les besoins de la comparaison (« Regarder qui je suis et me rendre de plus en plus petit par
des comparaisons *a)* avec les hommes, *b)* avec les anges, *c)* avec
Dieu »). C'est que, comme dans la rêverie au haschisch dont Baudelaire décrit l'effet tour à tour amenuisant ou dilatant, le *je* ignacien,
quand il imagine selon les voies du fantasme, n'est pas une personne;
anecdotiquement, Ignace peut bien, ici et là, lui assigner une place
dans la scène; mais fantasmatiquement, sa situation est fluide, épar-
pillée; l'exercitant (à supposer qu'il soit le sujet de la méditation)
ne disparaît pas mais se déplace dans la chose, comme le fumeur de
haschisch tout entier ramassé dans la fumée de sa pipe et qui « se
fume » : il n'est plus que le verbe qui soutient et justifie la scène. Ce
n'est certes pas dans une telle perspective qu'a été écrite la sentence
célèbre que l'on attribue à Ignace (elle est en réalité tirée d'un *Elo-
gium sepulcrale S. Ignatii*) : « *Non coerceri maximo, contineri tamen
a minimo, divinum est* » (Ne pas être enserré par le plus grand, être
cependant contenu par le plus petit, c'est chose divine); il suffit pour-

---

1. Le fantasme est « un scénario imaginaire où le sujet est présent et qui figure...
l'accomplissement d'un désir » (Laplanche et Pontalis, *Dictionnaire de Psychanalyse*, 1967, P.U.F.).
2. Soucieux d' « adapter à l'esprit de notre temps » l'allégorie ignacienne du
roi temporel, le père jésuite Coathalem suggère de substituer au roi de droit
divin, dans le scénario de la comparution humiliante, « quelque grand chef
d'industrie aux talents insignes »!

tant de rappeler avec quelle prédilection Hölderlin l'a citée, pour y voir la devise même de cette présence flottante du sujet dans l'image, qui marque à la fois le fantasme et la contemplation ignacienne.

10. ORTHODOXIE DE L'IMAGE

Au début de l'époque moderne, au siècle d'Ignace, un fait commence à modifier, semble-t-il, l'exercice de l'imagination : un remaniement de la hiérarchie des cinq sens. Au moyen âge, nous disent les historiens, le sens le plus affiné, le sens perceptif par excellence, celui qui établit le contact le plus riche avec le monde, c'est l'ouïe; la vue ne vient qu'en troisième position, après le toucher. Puis il y a renversement : l'œil devient l'organe majeur de la perception (le baroque en témoignerait, qui est art de la chose vue). Ce changement a une grande importance religieuse. La primauté de l'ouïe, encore très vive au XVIᵉ siècle, était garantie théologiquement : l'Église fonde son autorité sur la parole, la foi est audition : *auditum verbi Dei, id est fidem;* l'oreille, l'oreille seule, dit Luther, est l'organe du Chrétien. Une contradiction risque donc d'apparaître entre la perception nouvelle, conduite par la vue, et la foi ancienne, fondée sur l'écoute. Ignace s'emploie précisément à la réduire : il veut fonder l'image (ou « vue » intérieure) en orthodoxie, comme unité nouvelle de la langue qu'il construit.

Il y a pourtant des résistances religieuses à l'image (outre la marque auditive de la foi, recueillie, maintenue, et réaffirmée par la Réforme). Les premières sont d'origine ascétique; la vue, procuratrice du toucher, est facilement associée au désir de la chair (bien que le mythe antique de la séduction soit celui des Sirènes, c'est-à-dire d'une tentation mélodieuse), et l'ascète s'en méfie d'autant plus qu'on ne peut vivre sans voir; aussi, l'un des prédécesseurs de Jean de la Croix imposait à ses perceptions visuelles une limite de cinq pieds, au-delà de quoi il ne devait pas regarder. Antérieure au langage (« Avant le langage, dit Bonald, il n'y avait rien que les corps et leurs images »), l'image, pense-t-on, a quelque chose de barbare et pour tout dire de *naturel*, qui la rend suspecte à toute morale disciplinaire. Peut-être y a-t-il dans cette méfiance à l'égard de l'image le pressentiment que la vue est plus proche de l'inconscient et de tout ce qui s'y agite, comme l'a noté Freud. L'Église a développé d'autres résistances à l'image, plus ambiguës : celles des mystiques. Communément, les images (notamment les visions, et à plus forte raison, les « vues », d'ordre inférieur) ne sont admises dans l'expérience mystique, qu'à titre préparatoire : ce sont exercices de débutants; pour Jean de la Croix, images, formes et méditations conviennent seulement aux commençants. Le but de l'expérience est au contraire la privation d'images; c'est de « monter avec Jésus au sommet de notre esprit, sur la montagne de la Nudité sans image » (Rusbrock). Jean de la Croix note que l'âme « en acte de notion confuse, amoureuse, pacifique et apaisée » (parvenue au dépouillement des images distinctes) ne peut, sans une fatigue douloureuse, revenir aux contemplations particulières, dans lesquelles on discourt par images et formes; et Thérèse d'Avila, bien qu'elle occupe à cet égard une position intermédiaire entre Jean de la Croix et Ignace de Loyola, prend ses distances à l'égard de l'imagination : « cette faculté est tellement inerte en moi que, malgré tous mes efforts, je ne pouvais jamais me peindre ni me représenter la Sainte Humanité de Notre Seigneur » (représentation qu'Ignace, lui, comme on l'a vu, ne cesse de provoquer, de varier et d'exploiter). Il est bien connu que d'un point de vue mystique, la foi abyssale est obscure, plongée, coulée (dit Rusbrock) dans la ténèbre immense de Dieu, qui est « la face du *rien* sublime », les méditations, contemplations, visions, vues et discours, en un mot les images, n'occupant que « l'écorce de l'esprit ».

A ces méfiances, ascétiques ou mystiques, on sait qu'Ignace répond par un impérialisme radical de l'image : produit de l'imagination dirigée, l'image est la matière constante des *Exercices* : les vues, les représentations, les allégories, les mystères (ou anecdotes évangéliques), suscités continûment par les sens imaginaires, sont les unités constitutives de la méditation, et, comme on l'a dit précédemment, ce matériel figuratif a tout naturellement engendré, après la mort d'Ignace, une littérature d'illustrations, de gravures, qui ont été parfois adaptées au pays dont elles devaient servir l'évangélisation : certaines furent offertes au dernier empereur Ming. L'image n'est cependant reconnue, promue, qu'au prix d'un traitement systématique dont Ignace s'est fait le premier praticien et qu'on ne retrouve nullement dans les approches condescendantes que les mystiques ont pu faire des visions, avant de s'en débarrasser au profit de la seule ténèbre divine. Il y a en effet un moyen de « dédouaner » théologiquement l'image : c'est d'en faire, non plus l'échelle d'une voie unitive, mais l'unité d'un langage.

Constituer le champ de l'image en système linguistique, c'est, en effet, se prémunir contre les marges suspectes de l'expérience mystique : le langage est le garant de la foi orthodoxe, parce que, sans doute (entre autres raisons), il authentifie la spécificité de la confession chrétienne. Le langage — dans sa nature expressément articulée —, c'est précisément ce que Bossuet oppose à l'hérésie quiétiste (dont on sait les rapports historiques avec Jean de la Croix) : contre Mme Guyon qui définissait l'oraison vide comme « un profond recueillement, sans acte ni discours », Bossuet édicte que « l'acte de foi doit se manifester de manière discursive, l'âme doit demander explicitement son salut » : en un mot, il n'y a de prière qu'articulée. L'articulation est en effet ce qu'Ignace apporte à l'image, la voie dont il se sert pour lui donner un être linguistique, et partant une orthodoxie. Cette ponctuation, dont nous savons qu'elle est la condition nécessaire et suffisante de tout langage, on a vu comment elle règne sur les *Exercices*, découpant, subdivisant, bifurquant et trifurquant, combinant toutes opérations proprement sémantiques destinées à combattre impitoyablement le vague et le vide.

Les garanties apportées par cette linguistique de l'image sont de trois ordres. D'abord une garantie réaliste : alors que la chose hallucinée, selon Merleau-Ponty, comporte une signification implicite et inarticulée, la chose vraie est « bourrée de petites perceptions qui la portent dans l'existence » : les images découpées par Ignace ne sont pas des hallucinations, leur modèle, c'est le réel intelligible. Ensuite une garantie logique : la ponctuation des images permet un développement graduel, de même rythme que celui des enchaînements logiques. Le bouddhisme connaît des doctrines dites *torin* (en chinois), où l'ouverture de l'esprit est un événement séparé, soudain, abrupt, discontinu (tel le Zen), et des doctrines dites *kien*, où cette même illumination est le résultat d'une méthode graduelle (mais non pas continue). Les *Exercices* sont *kien*, d'autant plus paradoxalement que l'image passe communément pour le support privilégié de l'intuition immédiate et du ravissement abrupt. De plus, l'articulation permet de prédiquer Dieu; tout l'effort mystique est de réduire (ou d'agrandir, comme on voudra) Dieu à son essence (Maimonide, repris par Jean de la Croix : « Nous ne saisissons de Dieu autre chose si ce n'est qu'*il est*, mais non pas *ce qu'il est* »), et cet effort porte déjà en soi la condamnation de tout langage; choisissant la voie d'une ponctuation exaspérée, Ignace ouvre à la divinité la liste, à la fois métaphorique et métonymique, de ses attributs : il est possible de *parler* Dieu. Enfin une garantie éthique; la mystique spéculative (celle de Jean de la Croix, par exemple) s'accommode d'un au-delà du langage; le discontinu ignacien, la vocation linguistique des *Exercices* sont en revanche conformes à la mystique du « service » pratiquée par Ignace : il n'y a pas de praxis sans code (on y a fait allusion à propos de la *proaïrésis* aristotélicienne), mais aussi tout code est un lien au monde : l'énergie de langage (dont les *Exercices* sont l'un des théâtres exemplaires) est une forme — est la forme même d'un désir du monde.

11. LA COMPTABILITÉ

On peut concevoir les *Exercices* comme une lutte acharnée contre l'éparpillement des images, qui marque psychologiquement, dit-on, le vécu mental et dont seule — toutes les religions en sont bien d'accord — une méthode extrêmement rigoureuse peut venir à bout. L'imagination ignacienne, on l'a déjà dit, a d'abord cette fonction de

73

sélection et de concentration : il s'agit de chasser toutes ces images flottantes qui envahissent l'esprit, tels « un vol désordonné de moucherons » (Théophane le Reclus) ou « des singes capricieux qui bondissent d'une branche à l'autre » (Ramakrishna); mais pour leur substituer quoi? A vrai dire, ce n'est pas contre la prolifération des images que les *Exercices* mènent finalement la lutte, mais, beaucoup plus dramatiquement, contre leur inexistence, comme si, vidé originairement de fantasmes (quelle que soit d'ailleurs la dispersion de son esprit), l'exercitant avait besoin qu'on l'aide à s'en pourvoir. On peut dire qu'Ignace se donne autant de mal pour emplir l'esprit d'images que les mystiques (chrétiens et bouddhiques) pour l'en vider; et si l'on veut bien se référer à certaines hypothèses actuelles [1], qui définissent le malade psycho-somatique comme un sujet impuissant à produire des fantasmes et la cure comme un effort méthodique pour lui faire retrouver une « capacité de manipulation fantasmatique », Ignace est bien un psychothérapeute qui cherche à injecter à tout prix des images dans l'esprit mat, sec et vide de l'exercitant, à introduire en lui cette culture du fantasme, préférable, en dépit des risques, à ce *rien* fondamental (rien à dire, à penser, à imaginer, à sentir, à croire), qui marque le sujet de la parole, avant que le rhéteur ou le jésuite ne fassent intervenir leur technique et ne lui donnent une langue. En un mot, il faut accepter de « névroser » le retraitant.

On a pu définir (Lacan) la névrose obsessionnelle comme une « décomposition défensive, comparable en ses principes à celle qu'illustrent le redan et la chicane ». C'est exactement la structure des *Exercices;* non seulement la matière ascétique est brisée, articulée à l'extrême, mais encore elle est exposée à travers un système discursif d'annotations, de notes, de points, de préalables, de précautions, de répétitions, de retours et de colmatages, qui forme la plus forte des défenses. Le caractère obsessionnel des *Exercices* éclate dans la rage de comptabilité qui est transmise au retraitant : dès qu'un objet paraît,

1. P. Marty, M. de M'Uzan, C. David, *L'Investigation psychosomatique*, Paris, P.U.F., 1963.

intellectuel ou imaginaire, il est brisé, divisé, dénombré. La comptabilité est obsessionnelle non seulement parce qu'elle est infinie, mais surtout parce qu'elle engendre ses propres fautes : s'agissant de compter ses péchés (et l'on verra qu'Ignace a prévu à ce sujet une technique de comptabilité graphique), le fait de mal les compter deviendra à son tour une faute qui devra s'ajouter à la liste originelle; cette liste est ainsi frappée d'infinité, le compte rédempteur des fautes appelant en contrepartie les fautes mêmes du compte : par exemple, l'Examen particulier de la Semaine 1 est surtout destiné à comptabiliser les manquements commis à l'égard des oraisons. C'est en effet le propre névrotique de l'obsession que de mettre en place une machine qui s'entretient toute seule, une sorte d'homéostat de la faute, construit de telle sorte que son seul fonctionnement lui fournit son énergie de marche; ainsi voit-on Ignace, dans son *Journal*, demander un signe à Dieu, Dieu tarder à le donner, Ignace s'impatienter, s'accuser de s'impatienter, et recommencer le circuit; on prie, on s'en veut de mal prier, on ajoute à la prière manquée une prière supplémentaire de pardon, etc.; ou encore : pour décider s'il faut mettre fin aux messes destinées à susciter une élection, on projette... de dire une messe de plus. La comptabilité comporte un avantage mécanique : car, étant langage d'un langage, elle s'offre à supporter une circularité infinie des fautes et de leur compte. Elle a un autre profit; portant sur les péchés, elle contribue à créer, entre le pécheur et la somme dénombrable de ses fautes, un lien narcissique de propriété : le manquement est un moyen d'accéder à l'identité de l'individu, et en ce sens, l'ordre tout comptable du péché, tel qu'Ignace en a établi le manuel et qui était sans doute peu connu du moyen âge, sensible surtout, semble-t-il, d'une façon plus cosmique, à la faute adamique et à l'enfer, ne peut pas être complètement étranger à la nouvelle idéologie capitaliste, articulée à la fois sur le sentiment individualiste de la personne et le dénombrement des biens, qui, lui appartenant en propre, la constituent. On voit l'ambiguïté des *Exercices*; ils fondent une psychothérapie destinée à réveiller, à faire résonner, par la production d'une langue fantasmatique, la matité de ce corps qui n'a rien à dire, mais en même temps ils provoquent une névrose, dont l'obsession même protège la soumission du retraitant (du chrétien) à l'égard de la divinité. On dira en d'autres termes qu'Ignace (et l'Église avec lui) institue bien au profit de l'exercitant une psychothérapie, mais se garde continûment de résoudre jamais la relation transférentielle qu'elle implique. Situation à laquelle il faut opposer — si l'on veut bien comprendre la particularité chrétienne sur laquelle nous pouvons nous aveugler à force d'habitude — un autre type d'ascèse, celle du Zen, par exemple, dont tout l'effort est au contraire de « désobsessionnaliser » la méditation, en subvertissant, pour mieux les périmer, les classes, les répertoires, les dénombrements, bref l'articulation, ou encore : le langage lui-même.

12. LA BALANCE ET LA MARQUE

Il faut, pour finir, retourner au texte multiple des *Exercices*. Tout ce qu'on a dit jusqu'à présent concernait surtout le troisième texte, le texte *agi*, par lequel l'exercitant, en possession de la langue d'interrogation que lui propose Ignace, essaye d'obtenir de la divinité une réponse au dilemme tout pratique de ses conduites, c'est-à-dire une « bonne élection ». Reste à savoir ce qu'Ignace a pu dire de la langue de la divinité, cette seconde face de toute mantique.

Cette langue — il en a toujours été ainsi — se réduit à un signe unique, qui n'est jamais que la désignation de l'un des deux termes d'une alternative; cette désignation, qui peut s'énoncer de bien des manières, c'est le *numen* antique, le signe de tête par lequel la divinité dit *oui* ou *non* à ce qui lui est proposé. La rhétorique impliquée par le troisième texte des *Exercices* consiste en effet à nettoyer les embarras de la délibération, à la réduire, par des chicanes successives, à une alternative égale, où le signe de Dieu puisse intervenir simplement. On voit quel est le rôle de la divinité : c'est de *marquer* l'un des deux termes du binaire. Or c'est là le mécanisme fondamental de tout l'appareil linguistique : un paradigme de deux termes égaux est donné, l'un des termes est marqué contre l'autre, qui ne l'est pas, et le sens surgit, le message s'énonce. Dans la mantique, le *numen* est la marque même, son état élémentaire. Cette production du sens n'est pas sans rappeler, sur le plan laïque, la rhétorique platonicienne, telle qu'on la voit en œuvre, par exemple, dans le *Sophiste* : pour cette rhétorique également, il s'agit de progresser dans le discours par une suite d'alternatives dont il est demandé à l'interlocuteur de marquer l'un des termes : c'est la concession du répondant, lié au maître par un rapport amoureux, qui dégage l'alternative de l'impasse et permet de passer à l'alternative suivante, de façon à atteindre de proche en proche l'essence de la chose. Dans la mantique, face à l'alternative que lui tend l'interrogeant, la divinité, de la même manière, *concède* l'un des termes : c'est là sa réponse. Dans le système ignacien, les paradigmes sont donnés par le discernement, mais seul Dieu peut les marquer : générateur du sens, mais non son préparateur, il est, structuralement, le Marqueur, celui qui imprime une différence.

Cette distribution des fonctions linguistiques est rigoureuse. Le rôle de l'exercitant n'est nullement de choisir, c'est-à-dire de marquer, mais bien au contraire de tendre à la marque divine une alternative d'une égalité parfaite. L'exercitant doit travailler à ne pas choisir ; la fin de son discours est d'amener les deux termes de l'alternative à un état d'homogénéité si pur, qu'il ne puisse humainement, s'en dégager ; plus le dilemme sera égal, plus sa clôture sera rigoureuse, et plus le *numen* divin sera clair, ou plutôt : plus il sera sûr que la marque est d'origine divine ; plus l'équilibre du paradigme sera accompli, et plus sensible le déséquilibre que Dieu lui imprimera. Cette égalité paradigmatique, c'est la fameuse *indifférence* ignacienne, qui a tant indigné les ennemis des jésuites : ne rien vouloir par soi-même, être aussi disponible qu'un cadavre, *perinde ac cadaver* ; un disciple d'Ignace, Jérôme Nadal, lorsqu'on lui demandait ce qu'il décidait, répondait qu'il n'inclinait à rien, sinon à n'incliner à rien. Cette indifférence est une virtualité de possibles, que l'on travaille à rendre d'un poids égal, comme si l'on avait à construire une balance d'une extrême sensibilité, à laquelle on confierait des matières amenées sans

77

cesse à l'égalité, de façon que le fléau ne penche ni d'un côté ni de l'autre : c'est le *bilan* ignacien : « Je dois me trouver indifférent, sans aucun attachement désordonné, de façon à ne pas être incliné ni attaché à prendre ce qui m'est proposé plus qu'à le laisser, ni à le laisser plus qu'à le prendre. Mais je dois me trouver comme l'aiguille d'une balance pour suivre ce que je sentirai être davantage à la gloire et à la louange de Dieu notre Seigneur et au salut de mon âme. »

On comprend bien, dès lors, que la mesure n'est pas ici une simple idée rhétorique, mais une valeur structurale, qui a un rôle très précis dans le système linguistique élaboré par Ignace : elle est la condition même qui permet d'offrir à la marque le meilleur paradigme possible. La mesure garantit le langage même, et l'on trouve ici, de nouveau, l'opposition que l'on a déjà notée entre l'ascèse ignacienne et la mystique flamande ; pour Rusbrock, il y a un lien entre la subversion de la fonction même de langage et l'éblouissement de la démesure ; à la stricte comptabilité instituée par Ignace, répond l'ivresse mystique (« J'appelle ivresse de l'esprit, dit Rusbrock, cet état où la jouissance dépasse les possibilités qu'avait entrevues le désir »), cette ivresse que tentent de cerner tant d'hyperboles (« l'excès de la transcendance », « l'abîme de la superessence », « la jouissance couronnée dans l'essence sans mesure », « la béatitude nue et suressentielle »). Voie possible de connaissance et d'union, la démesure ne peut être un moyen de langage ; aussi voit-on Ignace lutter pour préserver la pureté du milieu où la balance va développer son fléau (« Que la première règle de vos actions soit d'agir comme si le succès dépendait de vous et non de Dieu, et de vous abandonner à Dieu, comme s'il devait tout faire à votre place »[1]) et rétablir sans cesse l'égalité des pesées par des tares appropriées : c'est la technique du *contra agere*, qui consiste à aller systématiquement dans le sens adverse de celui où semble pencher spontanément la balance : « Pour mieux vaincre tout appétit désordonné et toute tentation de l'ennemi, si l'on est tenté de manger plus, que l'on mange moins » : l'excès ne se corrige point par un retour

---

1. Sentence attribuée à Ignace, mais discutée.

à l'égalité, mais selon une physique plus précautionneuse, par une contre-mesure : instrument qui oscille, la balance ne s'immobilise dans une égalité parfaite que par le jeu d'un *plus* et d'un *moins*.

L'égalité ainsi accomplie au prix d'un travail dont les *Exercices* sont l'histoire, comment la divinité, dont c'est le rôle, va-t-elle incliner le fléau, marquer l'un des termes de l'élection? Les *Exercices* sont le livre de la question, non de la réponse. Pour avoir quelque idée des formes que peut prendre la marque imprimée par Dieu à la balance, il faut recourir au *Journal spirituel*; on y trouvera l'ébauche du code divin, dont Ignace note les éléments à l'aide de tout un répertoire de signes graphiques, que l'on n'a d'ailleurs pu complètement déchiffrer (des initiales, des points, le signe //, etc.). Ces manifestations divines, comme on peut l'attendre d'un champ où domine le fantasme, s'établissent principalement au niveau du corps, de ce corps morcelé, dont la fragmentation est précisément la voie du fantasme. Ce sont d'abord les larmes; on sait l'importance du *don des larmes* dans l'histoire chrétienne; pour Ignace, ces larmes très matérielles (on nous dit que ses yeux noirs étaient toujours un peu voilés à force de pleurer) constituent un véritable code, dont la matière est différenciée en signes selon leur temps d'apparition et leur intensité [1]. Il y a ensuite le flux spontané de paroles, la *loquèle* (dont, à vrai dire, on ne sait pas très bien la nature). Il y a encore ce que l'on pourrait appeler les sensations cénesthésiques, diffusées à travers le corps, « produites dans l'âme par le Saint-Esprit » (Ignace les appelle des *dévotions*), tels les mouvements d'élévation, de tranquillité, d'allégresse, les sentiments de chaleur, de lumière ou d'approche. Il y a enfin les théophanies directes : les *visites*, localisées entre le « haut » (séjour de la Trinité) et le « bas » (le missel, la formule), et les *visions*, nombreuses dans la vie d'Ignace, qui viennent souvent en confirmation des décisions prises.

Cependant, en dépit de leur codification, aucune de ces « motions » n'est, en droit, décisive. Aussi voit-on Ignace (dans son *Journal*,

---

1. Code des larmes chez Ignace : a = larmes avant la messe (*antes*); l = larmes pendant la messe; d = larmes après la messe (*despues*); l — = larmes peu abondantes; etc.

où il s'agissait d'obtenir une réponse de Dieu relativement à un point très précis de la constitution des Jésuites) attendre, surveiller les motions, les noter, les comptabiliser, s'acharner à les provoquer, s'impatienter même de ce qu'elles ne parviennent pas à constituer une marque indubitable. Il ne reste qu'une issue à ce dialogue où la divinité parle (car les motions sont nombreuses) mais ne marque pas : c'est de faire de la suspension même de la marque un signe ultime. Cette dernière lecture, fruit final et difficile de l'ascèse, c'est le *respect*, l'acceptation révérentielle du silence de Dieu, l'assentiment donné, non au signe, mais au retard du signe. L'écoute se tourne en sa propre réponse, et, de suspensive, l'interrogation devient en quelque sorte assertive, la question et la réponse entrent dans un équilibre tautologique : le signe divin se découvre tout entier ramassé dans son audition. Alors la mantique se clôt, car, retournant la carence du signe en signe, elle est parvenue à inclure dans son système cette place vide et cependant signifiante que l'on appelle le degré zéro du signe : rendu à la signification, le vide divin ne peut plus menacer, altérer ou décentrer la plénitude attachée à toute langue fermée.

FOURIER

FOURTH

DÉPARTS

1. On m'a convié un jour à manger un couscous au beurre rance; ce ranci était régulier; dans certaines régions il fait partie du code du couscous. Cependant, soit préjugé, soit manque d'habitude, soit intolérance digestive, je n'aime guère le ranci. Que faire? En manger, bien sûr, pour ne pas désobliger l'hôte, mais du bout des lèvres, pour ne pas désobliger la conscience de mon dégoût (car pour le dégoût lui-même, il suffit d'un peu de stoïcisme). A ce repas difficile, Fourier m'eût aidé. D'une part, intellectuellement, il m'aurait persuadé de trois choses : la première est que le ranci du couscous n'est nullement une question oiseuse, futile ou triviale et qu'il n'est pas plus ridicule d'en débattre que de la Transsubstantiation [1]; la seconde est qu'en m'acculant à mentir sur mes goûts (ou mes dégoûts) la société manifeste sa *fausseté*, c'est-à-dire non seulement son hypocrisie (ce qui est banal) mais aussi le vice du mécanisme social, dont l'engrenage est faussé; la troisième, que cette même société ne saurait avoir de repos qu'elle n'ait assuré (comment? Fourier l'a bien expliqué mais il faut avouer que ça n'a pas marché) l'exercice de mes manies, fussent-elles « bizarres » ou « subalternes », comme celles des amateurs de vieilles poules, des mangevilénies (tel l'astronome Lalande qui aimait manger des araignées vivantes), des sectaires du beurré, de la bergamote, du rous-

1. « On va d'abord traiter de puérilité ces batailles sur la palme des crèmes sucrées ou des petits pâtés; on pourrait répondre que ce débat ne sera pas plus ridicule que ceux de nos guerres de Religion sur la Transsubstantiation... » (VII, 346).

selet, des pille-talons ou du vieux poupon sentimental [1]. D'autre part, pratiquement, Fourier eût immédiatement mis fin à ma gêne (être partagé entre ma politesse et mon peu de goût pour le ranci) en me tirant de mon repas (où, de plus, je restai coincé des heures, chose peu tolérable, contre quoi Fourier a protesté) et en me renvoyant dans le groupe des Anti-rancistes, où j'aurais pu tout à loisir manger du couscous frais sans vexer personne — ce qui ne m'aurait pas empêché d'avoir les meilleurs rapports avec la sectine des Rancistes, jugés par moi, dès lors, nullement folkloriques, étrangers, étranges, à l'occasion, par exemple, d'un grand tournoi dont les couscous eussent été la « thèse » et où un jury de gastrosophes eût décidé de la précellence du rance sur le frais (j'allais dire : le *normal*; mais pour Fourier, et c'est là sa victoire, il n'y a pas de normalité [2]).

1. Les pille-talons sont des hommes qui aiment à gratter le talon de leur maîtresse, (VII, 335); le poupon sentimental est un sexagénaire qui veut se faire traiter en marmot, veut que la soubrette le corrige « en tapotant doucement son fessier patriarcal » (VII, 334).

2. Fourier aurait été ravi, je n'en doute pas, de voir mon ami Abd el Kebir Khatibi entrer dans le tournoi des couscous pour y défendre, dans la lettre qu'il m'a écrite, la thèse du ranci :

« Je ne suis pas non plus un Ranciste. Je préfère le couscous à la citrouille, marqué légèrement par des raisins secs — bien mouillés à l'œuvre tout de même — et tout cela produit ce qu'il peut : une insubordination à l'expression.

L'apparente instabilité du système culinaire chez le paysan marocain provient, cher ami, du fait que le beurre rance se construit un foyer troublant sous terre, à l'intersection du temps cosmique et du temps de la consommation. Le beurre rance est une espèce de propriété décomposée, agréable au monologue intérieur.

Puisé à main large, le beurre rance se bricole dans le rite rond que voici : une grosse et magnifique boule de couscous est éjaculée dans la gorge, à tel point que le rance se neutralise. C'est une ellipse à double foyer, dirait Fourier.

C'est pourquoi le paysan se cherche dans le dépouillement : la parabole donne le surplus, la terre appartient à Dieu. Il enfouit le beurre frais, puis l'extrait en temps utile. Mais c'est la femme accroupie, toujours accroupie, qui mène l'opération par en dessous. Préparation lente et laborieuse, rendant mon couscous assez androgyne à mon goût.

J'accepte ainsi d'agir dans ces limites : le rance est un phantasme impératif. Le plaisir est de manger avec le groupe.

A rapprocher cette façon de conserver le beurre sous terre d'une pratique traditionnelle de guérison mentale. On enterre le fou furieux pour un jour ou deux, le laissant presque nu et sans nourriture. Quand on le sort, il renaît souvent ou meurt pour de bon. Il y a entre le ciel et la terre des signes pour ceux qui savent.

La surenchère sur le couscous — objet bien énigmatique — m'oblige à me taire et à vous saluer amicalement. »

II. Fourier aime les compotes, le beau temps, les melons parfaits, les petits pâtés aux aromates appelés mirlitons et la compagnie des saphiennes. A ces goûts, la société et la nature apportent quelques entraves : le sucre coûte (ou coûtait) cher (plus cher que le pain), le climat de la France est insupportable, sauf en mai, septembre et octobre, nous ne disposons d'aucun moyen sûr pour détecter la qualité d'un melon, en Civilisation les petits pâtés sont indigestes, les saphiennes sont proscrites et, longtemps aveugle sur lui-même, Fourier ne sut que très tard qu'il les aimait. Il faut donc refaire le monde avec mon plaisir : mon plaisir sera tout en même temps la fin et le moyen : en l'organisant, en le distribuant, je le comblerai.

III. En tout lieu où nous voyageons, en toute occasion où nous éprouvons un désir, une envie, une lassitude, une vexation, il est possible d'interroger Fourier, de se demander : qu'en aurait-il dit? Que ferait-il de ce lieu, de cette aventure? Me voici, un soir, dans un motel du Sud marocain : à quelques centaines de mètres de la ville populeuse, haillonneuse, poussiéreuse, un parc d'essences rares, une piscine bleue, des fleurs, des bungalows silencieux, des serviteurs discrets en foule. En Harmonie, qu'est-ce que cela donnerait? Tout d'abord ceci : viendraient dans ce lieu tous ceux qui ont ce goût bizarre, cette manie subalterne d'aimer les lumignons dans les bosquets, les dîners aux bougies, la domesticité folklorique, les grenouilles nocturnes et un chameau dans un pré sous votre fenêtre. Puis cette rectification : les Harmoniens n'auraient guère besoin de ce lieu, luxueux en raison de sa température (le printemps en plein hiver), puisque, par action sur l'atmosphère, par modification de la couronne boréale, ce climat exotique pourrait être transporté à Jouy-en-Josas ou Gif-sur-Yvette. Enfin ce compromis : à certains moments de l'année, les hordes, par goût du voyage et de l'aventure, convergeraient vers le motel idyllique et y tiendraient des conciles d'amour et de gastronomie (ce serait un lieu tout désigné pour notre repas de thèse sur les couscous). De quoi il ressort de nouveau ceci : que le plaisir fouriériste est le bout de la nappe : tirez le moindre incident futile, pourvu qu'il mette en jeu votre contentement, et tout le reste du monde suit :

son organisation, ses limites, ses valeurs; cet enchaînement, cette induction fatale qui relie l'inflexion la plus ténue de notre désir à la socialité la plus vaste, cet espace unique dans lequel se trouvent pris le fantasme et la combinatoire sociale, c'est très exactement le *systématique* (mais non, on le verra, le système); avec Fourier, impossible de prendre ses aises, sans en concevoir la théorie. Et encore ceci : du temps de Fourier, rien du système fouriériste n'était accompli, mais aujourd'hui? Le caravansérail, la horde, la quête collective des bonnes climatures, les expéditions de loisir existent : sous une forme dérisoire, assez atroce, c'est le voyage organisé, l'implantation du club de vacances (avec sa population classée, ses plaisirs planifiés) dans quelque lieu féerique; dans l'utopie fouriériste, il y a un double réel, accompli en farce par la société de masse : c'est le *tourisme* — juste rançon d'un système fantasmatique qui a « oublié » le politique, cependant que celui-ci le lui rend bien en « oubliant » non moins systématiquement de « calculer » notre plaisir. C'est dans la tenaille de ces deux oublis, dont la mise en regard détermine un creux total, un manque insupportable, que nous nous débattons encore.

LE CALCUL DE PLAISIR

Le mobile de toute construction (de toute combinaison) fouriériste n'est pas la justice, l'égalité, la liberté, etc., c'est le plaisir. Le fouriérisme est un eudémonisme radical. Le plaisir fouriériste (appelé *bonheur positif*) est très facile à définir : c'est le plaisir sensuel : « la liberté amoureuse, la bonne chère, l'insouciance et autres jouissances que les Civilisés ne songent même pas à convoiter, parce que la philosophie les habitue à traiter de vice le désir des biens véritables [1]. »

---

1. Rappelons d'un mot que dans le lexique fouriériste, *Civilisation* a un sens précis (nombré) : le mot désigne la 5ᵉ période de la première phase (Enfance de l'humanité), qui advient entre la période du patriarcat fédéral (naissance de la grande industrie agricole et manufacturière) et celle du garantisme ou demi-association (industrie par association). De là un sens plus large : *Civilisation* est, chez Fourier, synonyme de barbarie malheureuse et désigne l'état de son propre temps (et du nôtre); elle s'oppose à l'Harmonie universelle (2ᵉ et 3ᵉ phases de l'humanité). Fourier pensait être à la charnière de la Civilisation-Barbarie et de l'Harmonie.

La sensualité fouriériste est surtout orale. Certes les deux grandes sources du plaisir sont à égalité l'Amour et la Nourriture, mis sans cesse en parallèle; mais si Fourier revendique en faveur de la liberté érotique, il ne la décrit pas sensuellement; tandis que la nourriture est fantasmée amoureusement dans le détail (compotes, mirlitons, melons, poires, limonades); et la parole même de Fourier est sensuelle, elle progresse dans l'effusion, l'enthousiasme, le comblement verbal, la gourmandise du mot (le néologisme est un acte érotique, ce pour quoi il soulève immanquablement la censure des cuistres).

Ce plaisir fouriériste est commode, *il se découpe* : isolé sans peine du fatras hétéroclite des causes, effets, valeurs, protocoles, habitudes, alibis, il se présente partout dans sa pureté souveraine : la manie (celle du pille-talon, du mange-vilénie, du vieux poupon sentimental) n'est jamais saisie que par le plaisir qu'elle procure aux partenaires et ce plaisir ne s'encombre jamais d'autres images (ridicules, inconvénients, difficultés); bref, aucune métonymie ne l'attache : le plaisir est ce qu'il est, rien d'autre. La cérémonie emblématique de cette découpe d'essence serait l'*orgie de musée*: elle consiste dans une exposition simple du désirable, « séance où les notables amoureux exposent à nu ce qu'ils ont de plus remarquable. Telle femme qui n'a que la gorge de belle n'expose que la gorge et se revêt par en bas... » (ne commentons pas le caractère fétichiste de cet encadrement, assez évident; son intention n'étant pas analytique, mais seulement éthique, Fourier se moquerait de prendre le fétichisme dans une construction symbolique, réductrice : ce serait simplement une manie *à côté* des autres, et non pas au-dessus ou au-dessous d'elles).

Le plaisir fouriériste ne se pénètre d'aucun mal : il n'intègre pas la vexation, à la façon sadienne, mais au contraire l'évapore; son discours est celui de la « bienveillance générale » : par exemple, dans la guerre d'amour (jeu et théâtre), par délicatesse, pour ne pas vexer, les drapeaux et les chefs ne sont pas capturés. Si cependant, en Harmonie, on en vient à souffrir, c'est toute la société qui s'emploie à vous étourdir : avez-vous eu quelque fiasco d'amour, avez-vous été éconduit, les Bacchantes, Aventurières et autres corporations de plaisir vous entourent et vous entraînent, effacent immédiatement le dol dont vous avez été victime (elles exercent, dit Fourier, la philanthropie). Mais si l'un a la manie de vexer? Faut-il le laisser faire? Le plaisir de vexer est dû à un engorgement; or l'Harmonie désengorgera les passions, le sadisme sera résorbé : Dame Strogonoff avait la méchante habitude de vexer sa belle esclave en lui perçant le sein d'épingles; c'était en fait contre-passion : Dame Strogonoff était amoureuse de sa victime sans savoir : l'Harmonie, en autorisant et favorisant les amours saphiques, l'eût débarrassée de son sadisme. Dernière menace cependant : la satiété : comment *soutenir* le plaisir? « Comment faire pour avoir un appétit qui se renouvelle sans cesse? Voilà où gît le secret de la politique harmonienne. » Ce secret est double : d'une part, changer la race et, par les bienfaits généraux du régime sociétaire (à base de viandes et de fruits, sans presque de pain), former des hommes physiologiquement plus forts, aptes au renouvellement des plaisirs, capables de digérer plus vite, d'avoir faim plus souvent; et d'autre part varier sans cesse les plaisirs (jamais plus de deux heures à une même occupation), et de tous ces plaisirs successifs faire un seul plaisir continu.

Voilà donc le plaisir seul et triomphant, il règne sur tout. Le plaisir n'a pas de mesure, il n'est pas soumis à quantification, le *trop* est son être (« Notre tort n'est pas, comme on l'a cru, de *trop désirer*, mais de *trop peu* désirer... »); il est lui-même la mesure : le « sentiment » dépend du plaisir : « La privation du nécessaire sensuel dégrade le sentiment », et « la pleine satisfaction du matériel est le seul moyen d'élever le sentiment » : contre-freudisme : le « sentiment » n'est pas la transformation sublimante d'un manque mais au contraire l'effusion panique d'un comblement. Le plaisir soumet la Mort (dans l'autre vie les plaisirs seront sensuels), il est le Fédérateur, celui qui opère la solidarité des vivants et des morts (le bonheur des défunts ne commencera qu'avec celui des vivants, les uns devant en quelque sorte *attendre* les autres : point de morts heureux tant que sur la terre les vivants ne le seront pas : vue d'une générosité, d'une « charité », dont aucune eschatologie religieuse n'a eu l'audace). Le plaisir est enfin le principe pérenne de l'organisation sociale : soit que, négativement, il induise à condamner toute société, fût-elle progressiste, qui l'oublie (telle l'expérience d'Owen à New-Lamarck, dénoncée comme « trop sévère » parce que les sociétaires y vont pieds nus), soit que, positivement, les plaisirs soient déclarés *affaires d'État* (les *plaisirs*, et non les *loisirs* : c'est ce qui sépare — heureusement — l'Harmonie fouriériste de l'État moderne, où la pieuse organisation des loisirs correspond à la censure impitoyable des plaisirs); le plaisir relève en effet d'un *calcul*, opération qui est pour Fourier la forme la plus haute d'organisation et de maîtrise sociales; ce calcul est celui-là même de toute la théorie sociétaire, dont la pratique est de transformer le travail en plaisir (et non pas de suspendre le travail au profit du loisir) : la barre qui oppose en Civilisation le travail au plaisir tombe, il y a effondrement paradigmatique, conversion philosophale de l'immonde en attrayant (on paiera les impôts « avec autant d'empressement qu'en met une mère à vaquer aux soins immondes mais attrayants qu'exige son nourrisson »), et le plaisir lui-même devient une valeur d'échange, puisque l'Harmonie reconnaît et honore, sous le nom d'Angélicat, la prostitution collective : il est en quelque sorte la monade énergétique qui assure dans sa relance et son étendue le mouvement sociétaire.

Le plaisir étant l'Unique, révéler le plaisir est une charge elle-même unique : Fourier est seul contre tous (notamment contre tous les Philosophes, contre toutes les Bibliothèques), il a seul raison, et cette raison est elle-même la seule désirable : « N'est-il pas à désirer que j'aie seul raison contre tous? » De l'Unique vient le caractère incendiaire du plaisir : en parler brûle, saisit, effraie : combien de déclarations sur le saisissement mortel qu'apporterait la révélation trop brusque du plaisir! Que de précautions, de préparations d'écriture! Fourier éprouve comme une sorte d'obligation prophylactique de froideur (mal observée d'ailleurs : il s'imagine que ses « calculs » sont ennuyeux, et s'en rassure, alors qu'ils sont délicieux); d'où une retenue incessante du discours : « craignant de vous faire entrevoir l'immensité de ces plaisirs, je n'ai disserté que sur... etc. » : le discours de Fourier n'est jamais que propédeutique, tant son objet, son centre est brûlant de splendeur [1] : articulé par le plaisir, le monde sociétaire est *éblouissant*.

Le champ du Besoin, c'est le *Politique*; le champ du Désir, c'est ce que Fourier appelle le *Domestique*. Fourier a choisi le Domestique contre le Politique, il a édifié une utopie domestique (mais une utopie peut-elle être autre chose? une utopie peut-elle être jamais politique? la politique n'est-elle pas : *tous les langages moins un*, celui du Désir? En mai 68, on proposa à l'un des groupes qui se constituaient spontanément à la Sorbonne, d'étudier l'*Utopie domestique* — on pensait évidemment à Fourier; à quoi il fut répondu que l'expression était trop « recherchée », donc « bourgeoise »; le politique est ce qui forclôt le désir, sauf à y rentrer sous forme de névrose : la névrose politique, ou plus exactement : la névrose de politisation).

L'ARGENT FAIT LE BONHEUR

En Harmonie, non seulement la richesse est sauvée, mais encore elle est magnifiée, elle entre dans un jeu de métaphores heureuses, fournissant aux démonstrations fouriéristes tantôt le brio cérémonial des pierreries (« le crachat de diamant en triangle radieux », décoration de la sainteté amoureuse, c'est-à-dire de la prostitution générale), tantôt la modestie du sou (« 20 sous à Racine pour sa tragédie de *Phèdre* » : il est vrai multipliés par tous les cantons qui ont décidé d'honorer le poète); les opérations attachées à l'argent sont elles aussi motifs d'un jeu délectable : celui, dans la guerre d'amour, de

1. « Si nous pouvions voir subitement cet Ordre combiné, cet œuvre de Dieu tel qu'il sera dans sa pleine activité... il est hors de doute que beaucoup de Civilisés seraient frappés de mort par la violence de leur extase. La seule description [de la 8ᵉ société] pourra causer à plusieurs d'entre eux, et surtout aux femmes, un enthousiasme qui tiendra de la manie; elle pourra les rendre indifférents aux amusements, inhabiles aux travaux de la Civilisation » (I, 65).

la rédemption (du rachat) des captifs. L'argent participe de la brillance du plaisir (« Les sens ne peuvent prendre le plein essor indirect sans l'entremise de l'argent ») : l'argent est désirable, comme aux plus beaux jours de la corruption civilisée, au-delà de laquelle il se perpétue à titre de fantasme splendide et « incorruptible ».

Curieusement détaché du commerce, de l'échange, de l'économie, l'argent fouriériste est un métal analogique (poétique), le chiffre du bonheur. Son exaltation est évidemment une contre-marche : c'est parce que toute la Philosophie (civilisée) a condamné l'argent, que Fourier, destructeur de la Philosophie et critique de la Civilisation, le réhabilite : *l'amour des richesses* étant un *topos* péjoratif (au prix d'une constante hypocrisie : Sénèque, l'homme aux quatre-vingts millions de sesterces, déclarait qu'il fallait se défaire de ses richesses à l'instant), Fourier retourne le mépris en louange [1] : les noces, par exemple, sont une cérémonie ridicule [2], sauf « lorsqu'un homme épouse une femme très riche; alors il y a lieu de se réjouir »; tout, quant à l'argent, semble pensé en vue de ce contre-discours, proprement scandaleux par rapport aux contraintes littéraires de l'admonition : « Recherchez les richesses mobiles, l'or, l'argent, les valeurs métalliques, les pierreries et objets de luxe méprisés par les philosophes [3]. »

Ce fait de discours, cependant, n'est pas rhétorique : il a cette énergie de langage qui fait basculer le discours en écriture, il fonde la

---

1. « De là naît une conclusion qui va sembler une facétie et qui pourtant sera démontrée rigoureusement; c'est que dans les 18 sociétés d'Ordre combiné, la qualité la plus essentielle pour le triomphe de la vérité, c'est l'amour des richesses » (I, 70). « La gloire et la science sont bien désirables, sans doute, mais bien insuffisantes, quand elles ne sont pas accompagnées de la fortune. Les lumières, les trophées et autres illusions ne conduisent pas au bonheur, qui consiste avant tout dans la possession des richesses... » (I, 14).

2. « Il faut être né en Civilisation pour supporter l'aspect de ces indécentes coutumes qu'on appelle les *Noces*, où l'on voit intervenir à la fois le magistrat et le sacerdoce avec les plaisants et ivrognes du quartier » (I, 174).

3. L'avènement de l'Harmonie étant imminent, Fourier conseille aux Civilisés de profiter tout de suite des quelques biens de la Civilisation; c'est le thème millénariste (à l'envers, c'est-à-dire positif) : vivez pleinement aujourd'hui, demain sera nouveau, il est inutile d'épargner, de garder, de transmettre.

transgression majeure, celle qui ameute contre elle *tout le monde* : les chrétiens, les marxistes, les freudiens, pour qui l'argent continue d'être matière damnée, fétiche, excrément : qui oserait défendre l'argent ? Il n'est *aucun discours* avec lequel l'argent soit compatible. Parce qu'elle est absolument solitaire (Fourier ne trouverait sur ce point, parmi ses confrères, les « agitateurs littéraires », aucun co-manien), la transgression fouriériste dénude le point le plus secret de la conscience civilisée. Fourier exaltait l'argent parce que pour lui l'image du bonheur était de droit fournie par le mode de vie des gens riches : vue scandaleuse, aujourd'hui, aux yeux des contestataires eux-mêmes, qui condamnent tout plaisir induit du modèle bourgeois. On le sait, la métonymie (la contagion) est le ressort de la Faute (de la religion) ; le matérialisme radical de Fourier tient à son refus constant, vigilant, de toute métonymie. Pour lui, l'argent n'est pas un conducteur de maladie, mais seulement l'élément sec, pur, d'une combinatoire à réordonner.

INVENTEUR, NON ÉCRIVAIN

Pour refaire le monde (y compris la Nature), Fourier a mobilisé : une intolérance (celle de la Civilisation), une forme (le classement), une mesure (le plaisir), une imagination (la « scène »), un discours (son livre). Tout cela définit assez bien l'action du signifiant — ou le signifiant à l'action. Cette action fait lire sans cesse un manque éblouissant, qui est celui de la science et de la politique, c'est-à-dire du signifié [1]. Ce que Fourier manque (d'ailleurs volontairement) désigne en retour ce que nous manquons nous-mêmes lorsque nous refusons Fourier : ironiser sur Fourier, c'est toujours — à si juste raison que ce soit du point de vue de la science — censurer le signifiant. Poli-

---

[1]. « ... ne chercher le bien que dans des opérations qui n'eussent aucun rapport avec l'administration ni le sacerdoce, qui ne reposassent que sur des mesures industrielles ou domestiques et qui fussent compatibles avec tous les gouvernements sans avoir besoin de leur intervention » (I, 5).

tique et Domestique (c'est le nom du système de Fourier) [1], science et utopie, marxisme et fouriérisme sont comme deux filets dont les mailles ne coïncident pas. D'un côté, Fourier laisse passer toute la science, que Marx recueille et développe; du point de vue politique (et surtout depuis que le marxisme a su donner un nom indélébile à ses manques), Fourier est tout à fait *à côté*: irréel et immoral. Mais en face, l'autre filet laisse passer le plaisir, que Fourier recueille [2]. Désir et Besoin se laissent fuir, comme si les deux filets, se superposant alternativement, jouaient à la main chaude. Le rapport du Désir et du Besoin n'est cependant pas *complémentaire* (en les emboîtant l'un dans l'autre, tout serait parfait), mais *supplémentaire* : chacun est le *trop* de l'autre. Le *trop* : ce qui ne passe pas. Par exemple, vu d'aujourd'hui (c'est-à-dire *après* Marx), le politique est une purge nécessaire; Fourier est l'enfant qui se détourne de la purge, qui la vomit.

Le vomissement du politique, c'est ce que Fourier appelle l'Invention. L'invention fouriériste (« Pour moi, je suis inventeur et non orateur ») vise le nouveau absolu, ce dont on n'a encore jamais parlé. La règle d'invention est une règle de refus : douter absolument (bien plus que Descartes qui, pense Fourier, n'a jamais fait du doute qu'un usage partiel et déplacé), être en opposition avec tout ce qui a été fait, ne traiter que de ce qui n'a pas été traité, s'écarter des « agitateurs littéraires », des gens du Livre, prôner ce que l'Opinion répute *impossible*. C'est en somme pour cette raison purement structurale (*ancien/nouveau*) et par l'effet d'une simple contrainte du discours (parler seulement là où il n'y a pas encore eu de parole) que Fourier tait le politique. L'invention fouriériste est un fait d'écriture, un déploiement du signifiant. Ces mots doivent s'entendre au sens moderne : Fourier répudie l'*écrivain*, c'est-à-dire le gestionnaire atti-

---

1. « ... démontrer l'extrême facilité de sortir du labyrinthe civilisé sans secousse politique, sans effort scientifique, mais par une opération purement domestique » (I, 126).
2. « ... les sophistes nous donnent le change sur leur impéritie en calculs de politique amoureuse ou mineure, et nous occupent exclusivement de politique ambitieuse ou majeure... » (IV, 51).

tré du bien-écrire, de la littérature, celui qui cautionne l'union décorative et donc la séparation fondamentale du fond et de la forme; en s'affirmant inventeur (« Je ne suis pas écrivain, mais inventeur »), il se porte à la limite du sens, que nous appelons aujourd'hui Texte. Peut-être, suivant Fourier, nous faudrait-il désormais appeler *inventeur* (et non *écrivain* ou *philosophe*) celui qui amène au jour de nouvelles formules et investit ainsi, à coup de fragments, *immensément et en détail*, l'espace du signifiant.

LE MÉTA-LIVRE

Le méta-livre est le livre qui parle du livre. Fourier passe son temps à parler de son livre en sorte que l'œuvre de Fourier que nous lisons, mêlant indissolublement les deux discours, forme finalement un livre autonyme, dans lequel la forme dit sans cesse la forme.

Fourier accompagne son livre très loin. Par exemple, il imagine un dialogue entre le libraire et le client. Ou encore, sachant que son livre sera mis en procès, il établit tout un système institutionnel de défense (tribunal, jury, avocats) et de diffusion (le lecteur riche qui voudra s'éclaircir sur quelques doutes appellera l'auteur en leçons payées, comme celles des sciences et des arts : « c'est un genre de relations sans conséquence, comme avec un marchand de qui l'on achète »: après tout, c'est un peu ce que fait aujourd'hui l'écrivain qui part en tournées de conférences pour redire en paroles ce qu'il a dit en écriture).

Quant au livre lui-même, il suppose une rhétorique, c'est-à-dire l'adaptation des types de discours à des types de lecteurs : l'*exposition* s'adresse aux « Curieux » (c'est-à-dire aux hommes studieux); les *descriptions* (aperçus sur les jouissances des Destinées privées) s'adressent aux Voluptueux ou Sybarites; la *confirmation*, pointant les bévues systématiques des Civilisés en proie à l'Esprit Commercial, s'adresse aux Critiques. On distinguera des morceaux de *perspective* et des morceaux de *théorie* (1,160); il y aura des *aperçus* (abstraits), des *abrégés* (à moitié concrets), des *dissertations approfondies* (corps de doctrine). Il s'ensuit que le livre (vue en quelque sorte mallarméenne), non seulement est morcelé, articulé (structure banale), mais encore mobile, soumis à un régime d'actualisation *intermittente* : on invertira des chapitres, on précipitera (marche expéditive) ou on ralentira la lecture, selon la classe de lecteurs dans laquelle on désire se ranger; à la limite, le livre n'est fait que de sauts, troué, comme les manuscrits mêmes de Fourier (notamment *le Nouveau Monde amoureux*), où des mots manquent sans cesse, rongés par les souris, portés de la sorte aux dimensions d'un cryptogramme infini, dont la clef sera donnée plus tard.

Ceci n'est pas sans rappeler le mode de lecture du moyen âge, fondé sur le discontinu légal de l'œuvre : non seulement le texte antique (objet de la lecture médiévale) était *cassé* et les fragments en étaient ensuite diversement combinables, mais encore il était normal de tenir sur un sujet deux discours indépendants et concurrents, placés sans vergogne dans un rapport de redondance : *ars minor* (abrégé) et *ars major* (développé) de Donat, *modi minores* et *modi majores* des Modistes; c'est l'opposition fouriériste de l'aperçu-abrégé et de la dissertation. Cependant l'effet de ce doublage est retors, paradoxal. On s'attendrait à ce que, comme toute redondance, il couvre complètement le sujet, le remplisse et le ferme (qu'ajouter à un discours qui essentialise son propos sous forme d'un résumé et qui le développe sous forme d'une dissertation approfondie?). Or c'est tout le contraire; la duplicité du discours produit un *interstice*, par où le sujet fuit : Fourier passe son temps à retarder l'énoncé décisif de sa doctrine, il n'en livre jamais que des exemples, des séductions, des « appetizers »; le message de son livre est l'annonce d'un message à venir : *attendez encore un peu, je vous dirai l'essentiel très bientôt.* Cette manière d'écrire pourrait s'appeler la *contre-paralipse* (la paralipse est cette figure de rhétorique qui consiste à dire qu'on ne va pas dire, et donc à dire cela que l'on prétend taire : *je ne parlerai pas de...* : suivent trois pages). La paralipse implique la conviction que l'indirect est un mode rentable du langage; mais la contre-marche de Fourier, outre qu'elle traduit sans doute l'effroi névrotique du fiasco (tel celui d'un homme qui n'ose pas sauter — ce que Fourier, transférant sur le lecteur, énonce comme la crainte mortelle du plaisir), montre du doigt le vide du langage : pris dans les rets du méta-livre, son livre est *sans sujet* : le signifié en est dilatoire, retiré sans cesse plus loin : seul s'étend à perte de vue, *dans le futur du livre*, le signifiant.

LA SAVATE FLAMBOYANTE

Fourier parle quelque part du « mobilier nocturne ». Que m'importe si cette expression est la trace d'un délire qui fait valser les astres? Je suis emporté, ébloui, convaincu par une sorte de *charme* de l'expression, qui est son bonheur. Fourier fourmille de ces bonheurs : jamais discours ne fut plus *heureux*. L'expression tient chez Fourier son bonheur (et le nôtre) d'une sorte de surgissement : elle est excentrique, déplacée, elle vit toute seule à côté de son contexte (le contexte, casse-tête des sémanticiens, a toute l'ingratitude de la Loi : c'est lui qui réduit la polysémie, rogne les ailes du signifiant : toute la « poésie » ne consiste-t-elle pas à libérer le mot de son contexte? toute la « philologie » ne consiste-t-elle pas à l'y ramener?). A ces bonheurs je ne résiste pas, ils me paraissent « vrais » : la forme « m'a eu ».

De quoi sont-ils faits, ces charmes? D'une contre-rhétorique, c'est-à-dire d'une manière de pratiquer les figures en introduisant dans leur code quelque « grain » (de sable, de folie). Distinguons ici, encore une fois (après tant de siècles de classement rhétorique) les tropes (ou métaboles simples) et les figures (ou ornements qui jouent sur tout un syntagme). La veine métaphorique de Fourier est voie de vérité; elle lui fournit des métaphores simples d'une justesse définitive (« on tire des fourgons les *costumes de fatigue*, la casaque et le pantalon gris »,) elle éclaire le sens (fonction monologique) mais en même temps et contradictoirement elle l'éclaire à l'infini (fonction poétique); non seulement parce que la métaphore est filée, orchestrée (« En mobilier nocturne l'assortiment serait déjà considérable et composé de nos

FOURIER

lunes vivantes et diversement colorées, près de qui Phoebé semblerait
ce qu'elle est, un spectre livide, une lampe sépulcrale, un fromage
de gruyère. Il faut avoir aussi mauvais goût que les Civilisés pour
admirer cette momie blafarde »), mais encore et surtout parce que le
syntagme fouriériste procure à la fois un plaisir sonore et un éblouissement logique. Les énumérations de Fourier (car son « délire » verbal, fondé en calcul, est essentiellement énumératif) comportent toujours une pointe, une torsion, un pli saugrenu : «... l'autruche, le
daim, la gerboise... » : pourquoi la gerboise, sinon pour l'étalement
sonore de sa finale, au son de fruit et de fleuve? Et ceci : « Et qu'est-ce
que l'enfer dans sa furie pouvait inventer de pire que le serpent à sonnettes, la punaise, la légion d'insectes et reptiles, les monstres marins,
les poisons, la peste, la rage, la lèpre, la vénérienne, la goutte et tant de
venins morbifiques? » : la punaise et les monstres marins? Le serpent
à sonnettes et la vénérienne? Ce coq-à-l'âne tire une saveur finale du
morbifique, grassouillet et brillant, plus alimentaire que funèbre, à la
fois sensuel et ridicule (moliéresque), qui le couronne; car le *cumulus*
énumératif est aussi brusque, chez Fourier, que le mouvement de
tête d'un animal, d'un oiseau, d'un enfant, qui a entendu « autre
chose » : « Il n'en restera que les races utiles, comme merlan, hareng,
maquereau, sole, thon, tortue, enfin toutes celles qui n'attaquent pas le
plongeur... » : ce qui charme, ce n'est pas le contenu (après tout, il
est indiscutable que ces poissons ne sont pas malfaisants), mais un
certain tour qui fait que l'affirmation vibre vers sa région contraire :
malicieusement, par la métonymie irrépressible qui saisit les mots, une
vague image se libère qui, à travers la dénégation, montre le merlan
et le maquereau en train d'attaquer un plongeur... (c'est un mécanisme
proprement surréaliste). Chose paradoxale, car c'est toujours au nom
du « concret » que la Civilisation prétend faire la leçon aux « fous »,
c'est à force de « concret » que Fourier devient à la fois saugrenu et
charmant : le « concret » se construit en scène, la substance appelle
les pratiques qui lui sont métonymiquement attachées; la pause-café
renvoie à toute la bureaucratie civilisée : « N'est-il pas scandaleux de
voir des athlètes de trente ans accroupis devant un bureau et voitu-

97

rant avec des bras velus une tasse de café, comme s'il manquait de femmes et d'enfants pour vaquer aux vétilleuses fonctions des bureaux et du ménage? » Cette représentation vive provoque le rire parce qu'elle est sans proportion avec son signifié; d'ordinaire l'hypotypose sert à illustrer les passions intenses et nobles (Racine : *Imagine*, *Céphise...*); chez Fourier, elle est démonstrative; il se produit une sorte d'anacoluthe entre la minutie domestique de l'exemple et l'ampleur du projet utopiste. C'est là le secret de ces syntagmes drôles, si fréquents chez Fourier (chez Sade aussi), qui allient dans une seule phrase une pensée très ambitieuse et un objet très futile; parti sur l'idée des concours culinaires en Harmonie (« repas de thèse »), Fourier ne s'arrête pas de combiner des syntagmes étranges et délicieux, ridicules et décidés, où les petits pâtés (qu'il aimait tant sous le nom de mirlitons) sont associés à des termes de haute abstraction (« les 44 systèmes de petits pâtés », « les fournées de petits pâtés anathémisés par le concile », « les petits pâtés adoptés par le concile de Babylone », etc.) Ceci est très exactement ce qu'on peut appeler maintenant du *paragrammatisme* : à savoir la surimpression (en double écoute) de deux langages ordinairement forclos l'un par l'autre, la tresse de deux classes de mots dont la hiérarchie traditionnelle n'est pas annulée, égalisée, mais — ce qui est beaucoup plus subversif — *désorientée* : le Concile et le Système passent leur noblesse aux petits pâtés, les petits pâtés passent leur futilité à l'Anathème, une contagion brusque *dérange* l'institution du langage.

La transgression opérée par Fourier va plus loin. L'objet futile qu'il promeut au rang démonstratif est très souvent un objet *bas*. Cette conversion est justifiée puisque l'Harmonie récupère ce que la Civilisation méprise et le transforme en bien délicieux (« Si la Phalange de Vaucluse recueille 50 000 melons ou pastèques, il y en aura près de 10 000 affectés à sa consommation, 30 000 à l'exportation et 10 000 inférieurs qu'on partagera entre les chevaux, les chats et les engrais » : on retrouve ici cet art de la cadence énumérative dont on vient de parler : l'énumération fouriériste est toujours une devinette à l'envers : quelle différence y a-t-il entre le cheval, le chat et l'engrais?

Aucune, car tous trois ont pour fonction de résorber les melons inférieurs). Ainsi se construit une poétique de *rebut*, magnifié par l'économie sociétaire (par exemple, les vieilles poules marinées). Fourier connaît très bien cette poétique : il connaît les emblèmes du rebut, la savate, le torchon, l'égout : tout un épisode du *Nouveau Monde amoureux* (VII, 362 sq) chante les exploits des nouveaux Croisés en savaterie et décrottage, dont l'arrivée aux atterrages de l'Empire d'Euphrate est saluée par un magnifique feu d'artifice « terminé par une savate flamboyante au bas de laquelle on lit en légende : vivent les pieux savetiers ».

Naturellement, Fourier était conscient du « ridicule » de ses objets démonstratifs (de sa rhétorique) [1]; il savait bien que les bourgeois sont attachés à la division hiérarchique des langages, des objets et des usages aussi fortement qu'à celle des classes, que rien, à leurs yeux, n'égale le crime de lèse-langage et qu'il suffit d'allier un mot noble (abstrait) et un terme bas (dénotant un objet sensuel ou rebuté) pour déchaîner à coup sûr leur verve de propriétaires (du bon langage); il savait qu'on se moquait de ses melons jamais trompeurs, du triomphe des volailles coriaces et de la dette de l'Angleterre payée en œufs de poule. Cependant il assumait l'incongruité de ses démonstrations sur un certain ton de martyr (le martyre de l'inventeur). Ainsi s'ajoute au paragrammatisme de ses exemples (tressant ensemble deux langages exclus, l'un noble, l'autre paria), une ambiguïté finale, infiniment plus vertigineuse : celle de leur énonciation. Où est Fourier? dans l'invention de l'exemple (les vieilles poules marinées)? dans l'indignation que le rire des autres provoque en lui? Dans notre lecture, qui englobe à la fois le ridicule et sa défense? La perte du sujet dans l'écriture n'est jamais plus complète (le sujet devenant complètement irre-

---

1. « Ce respectable convoi de savates marche pompeusement à leur suite et compose le chargement du plus beau bateau de leurs bagages et c'est l'arme dont ils veulent s'étayer pour mériter les palmes de la vraie gloire. Bah! la gloire en savaterie, diront nos civilisés; je les attendais à cette sotte réplique. Et quel fruit ont-ils retiré des trophées de Saint-Louis et de Bonaparte qui ont conduit au loin des armées immenses pour les y engloutir après avoir ravagé le pays et s'y être fait exécrer » (VII, 364).

pérable) que dans ces énoncés dont le décrochage d'énonciation se produit à l'infini, sans cran d'arrêt, selon le modèle du jeu de la main chaude ou de la pierre, des ciseaux et de la feuille de papier : textes dont le « ridicule » ou la « bêtise » n'ont pour source aucun énonciateur certain et sur lesquels, par conséquent, le lecteur ne peut jamais avoir barre (Fourier, Flaubert). « Dieu, dit Fourier, exerce une ironie aussi fine que judicieuse en créant certains produits énigmatiques en qualité, comme le melon, fait pour mystifier innocemment les banquets rebelles aux méthodes divines, sans pouvoir tromper en aucun sens les gastronomes qui se rangeront au régime divin ou sociétaire [allusion à la difficulté qu'il y a à reconnaître un bon melon, « fruit si perfide pour les civilisés »]. — Je ne prétends pas dire que Dieu ait créé le melon exclusivement pour cette facétie, mais elle fait partie des nombreux emplois de ce fruit. L'ironie n'est jamais négligée dans les calculs de la nature... Le melon a parmi ses propriétés celle de l'*harmonie ironique*... » (en somme, le melon est élément d'une *écriture*). Quel lecteur pourrait prétendre *dominer* un tel énoncé — se l'approprier comme l'objet d'un rire ou d'une critique, en un mot *lui faire la leçon?* — au nom de *quel autre langage?*

LE HIÉROGLYPHE

Fourier veut déchiffrer le monde pour le refaire (car comment le refaire sans le déchiffrer?).

Le déchiffrement fouriériste part de la plus difficile des situations, qui n'est pas tellement la latence des signes que leur continu. Il y a un mot de Voltaire que Fourier reprend sans cesse à son compte : « Mais quelle épaisse nuit voile encore la nature? »; or, dans le voile, il y a finalement moins l'idée de masque que celle de nappe. Une fois de plus la tâche primordiale du logothète, du fondateur de langage, est de découper le texte sans fin : l'opération première est de « mordre » sur la nappe, pour pouvoir ensuite la tirer (la retirer).

Il faut donc, dans une certaine mesure distinguer le déchiffrement du découpage. Le déchiffrement renvoie à une profondeur pleine, aux traces d'un secret. Le découpage renvoie à un espace de relations, à une distribution. Chez Fourier, le déchiffrement est postulé, mais à titre somme toute mineur : il porte sur les mensonges et simagrées des classes civilisées : ainsi des « principes secrets » de la bourgeoisie « qui commence par débiter une centaine de mensonges dans sa boutique en vertu des principes du libre commerce. De là un bourgeois va entendre la sainte messe et revient débiter trois à quatre cents mensonges, tromper et voler une trentaine d'acheteurs en l'honneur du principe secret des commerçants : nous ne travaillons pas pour la gloire, il nous faut de l'argent » (VII, 246). Tout autre et d'une tout autre importance est le découpage — ou encore la systématisation (la mise en système); cette lecture-là, qui est l'essentiel du travail fouriériste, porte sur toute la Nature (sociétés, sentiments, formes, règnes naturalistes) en ce qu'elle est espace total de l'Harmonie — l'homme de Fourier étant absolument incorporé à l'univers, astres compris; ce n'est plus une lecture dénonciatrice, réductrice (limitée aux mensonges moraux de la bourgeoisie), mais une lecture exaltante, intégrante, restituante, étendue au foisonnement des formes universelles.

L'objet de cette seconde lecture est-il le « réel »? Nous sommes habitués à identifier le « réel » et le résidu : « l'irréel », fantasmatique, idéologique, verbal, proliférant, en un mot le « merveilleux », masquerait à nos yeux le « réel », rationnel, infra-structural, schématique; du réel à l'irréel, il y aurait production (intéressée) d'un écran d'arabesques, tandis que de l'irréel au réel, il y aurait réduction critique, mouvement aléthique, scientifique, comme si le réel était à la fois plus maigre et plus essentiel que les sur-structions dont on le recouvre. Fourier, évidemment, travaille sur une matière conceptuelle dont la constitution dénie cette opposition et qui est celle du *merveilleux réel*. Ce merveilleux réel est opposé au merveilleux idéal des romans; il correspond à ce que l'on pourrait appeler, en l'opposant précisément au roman, le romanesque. Le merveilleux réel est très exactement le signifiant, ou si l'on préfère « la réalité », marquée, par rapport au réel scientifique, de sa traîne fantasmatique. Or la catégorie sous laquelle ce romanesque commence à se lire, est le *hiéroglyphe*, différent du symbole comme le signifiant peut l'être du signe plein, mystifié.

Le hiéroglyphe (la théorie en est principalement donnée dans la *Théorie des Quatre Mouvements*, I, 31, sq et 286, sq) postule une correspondance formelle et arbitraire (elle dépend du libre-arbitre de Fourier : c'est un concept idiolectal) entre les différents règnes de l'univers, par exemple entre les formes (cercle, ellipse, parabole, hyberbole), les couleurs, les tons musicaux, les passions (amitié, amour, paternité, ambition), les races d'animaux, les astres et les périodes de la phylogenèse sociétaire. L'arbitraire vient évidemment de l'attribution : pourquoi l'ellipse est-elle le hiéroglyphe géométral de l'amour? la parabole celui de la paternité? Cet arbitraire est cependant tout aussi relatif que celui des signes linguistiques : nous croyons qu'il y a une correspondance arbitraire entre le signifiant /poirier/ et le signifié « poirier », entre telle tribu mélanésienne et son totem (ours, chien), parce que nous imaginons spontanément (c'est-à-dire en vertu de déterminations historiques, idéologiques) le monde en termes substitutifs, paradigmatiques, analogiques, et non en termes sériels, associatifs, homologiques, en un mot : poétiques. Fourier a cette seconde imagination; pour lui le fondement du sens, ce n'est pas la substitution, l'équivalence, c'est la série proportionnelle; de même que le signifiant /poirier/ ou le signifiant *ours* sont *relativement* motivés si on les prend dans la série *poirier-prunier-pommier* ou dans la série *ours-chien-tigre*, de même le hiéroglyphe fouriériste, détaché de toute univocité, accède à la langue, c'est-à-dire à un système à la fois conventionnel et fondé. Le hiéroglyphe implique en effet une théorie complète du sens (alors que trop souvent, nous fiant à l'apparence du dictionnaire, nous réduisons le sens à une substitution) : les hiéroglyphes, dit Fourier, s'expliquent de trois façons : 1) *par contraste* (la ruche/le guêpier, l'éléphant/le rhinocéros) : c'est le paradigme : la ruche est *marquée* de productivité, caractère qui manque au guêpier; l'éléphant est marqué de longues défenses, trait réduit à une courte corne chez le rhinocéros; 2) *par alliance* (le chien et le mouton, le cochon et la truffe, l'âne et le chardon) : c'est le syntagme, la métonymie : ces éléments vont ordinairement ensemble; 3) enfin *par progression* (les branchus : girafe, cerf, daim, chevreuil, renne, etc.) : ceci, inconnu des classements linguistiques, est la *série*, sorte de paradigme étendu, constitué de différences et de voisinages, dont Fourier fait le principe même de l'organisation sociétaire, qui consiste au fond à mettre dans une phalange, des groupes contrastés d'individus liés, dans chaque groupe, par une affinité : c'est par exemple la sectine des Fleurettes, des amateurs de petites fleurs variées, opposée mais coexistante à la sectine des Rosistes : la série est, si l'on peut dire, un paradigme actualisé, syntagmatisé, en vertu du nombre même de ses termes, non seulement *vivable* (alors que le paradigme sémantique est soumis à la loi des contraires rivaux, inexpiables, qui ne peuvent cohabiter), mais encore *heureux*. La progression (la série) est sans doute ce que Fourier ajoute au sens (tel que nous le décrivent les linguistes), et par conséquent cela même qui en déjoue l'arbitraire. Pourquoi, par exemple, la girafe est-elle, en Association, le hiéroglyphe de la Vérité (1,286)? Idée bien farfelue, et assurément injustifiable si l'on essaye, désespérément, de trouver quelque trait affinitaire ou même contrasté entre la Vérité et ce grand mammifère ongulé. L'explication est que la girafe est prise dans un système d'homologies : l'Association ayant pour hiéroglyphe pratique le castor (en raison de ses capacités associatrices et constructrices) et pour hiéroglyphe visuel le paon (en raison de l'éventail de ses nuances), il faut en face et cependant dans la même série, celle des animaux, un élément proprement infonctionnel, une sorte de neutre, de degré zéro de la symbolique zoologique : c'est la girafe, aussi inutile que la Vérité en Civilisation; de là encore une contre-girafe (terme complexe de l'opposition) : c'est le Renne, dont on tire tous les services imaginables (dans l'ordre sociétaire, il y aura même création d'un animal nouveau, plus œcuménique encore que le Renne : ce sera l'Anti-Girafe).

Replacée ainsi dans l'histoire du signe, la construction fouriériste pose les droits d'une sémantique baroque, c'est-à-dire ouverte à la prolifération du signifiant : infinie et cependant structurée.

La combinaison des différences implique que l'individuation de chaque terme est respectée : on n'essaye pas de redresser, de corriger, d'annuler un goût, quel qu'il soit (si « bizarre » soit-il); bien au contraire, on l'affirme, on l'emphatise, on le reconnaît, on le légalise, on le renforce en associant tous ceux qui veulent le pratiquer : le goût ainsi corporé, on le laisse jouer en opposition avec d'autres goûts à la fois affinitaires et différents : un jeu de compétition (voire d'intrigue, mais *codée*) s'établira entre les amateurs de bergamote et les amateurs de beurré : on ajoutera alors à la satisfaction d'un goût simple (aimer les poires) l'exercice d'autres passions, celles-là formelles, combinatoires : par exemple, la *cabalistique*, ou passion des intrigues, et la *papillonne*, s'il se trouve des Harmoniens instables qui prennent plaisir à passer de la bergamote au beurré.

Il ressort de cette construction sémantique du monde que l'« association » n'est pas aux yeux de Fourier un principe « humaniste » : il ne s'agit pas de réunir tous ceux qui ont la même manie (les « comaniens ») pour qu'ils se sentent bien ensemble et s'enchantent à se mirer narcissiquement les uns dans les autres; il s'agit au contraire d'associer pour combiner, pour contraster. La coexistence fouriériste des passions ne procède pas du tout d'un principe libéral. Il n'est pas noblement demandé de « comprendre », d' « admettre » les passions des autres (quitte, en fait, à les refuser). Le but de l'Harmonie n'est pas de se protéger du conflit (en s'associant par similitudes), ni de le réduire (en sublimant, édulcorant ou normalisant les passions), ni encore de le transcender (en « comprenant » l'autre), mais de l'exploiter pour le plus grand plaisir de chacun et sans lésion pour aucun. Comment? En le *jouant* : en faisant du conflictuel un texte.

PASSIONS

La passion (le caractère, le goût, la manie) est l'unité irréductible de la combinatoire fouriériste, le graphème absolu du texte utopique. La passion est *naturelle* (rien à corriger en elle, sauf à produire une contre-nature, ce qui se passe en Civilisation). La passion est *nette* (son être est pur, fort, bien contourné : seule la philosophie civilisée conseille des passions flasques, apathiques, des contrôles et des compromis). La passion est *heureuse* (« Le bonheur... consiste à avoir beaucoup de passions et beaucoup de moyens de les satisfaire », I, 92).

La passion n'est pas la forme exaltée du sentiment, la manie n'est pas la forme monstrueuse de la passion. La manie (et même la lubie) est l'être même de la passion, l'unité à partir de laquelle se détermine l'Attraction (attractive et attrayante). La passion n'est ni déformable, ni transformable, ni réductible, ni mesurable, ni substituable : ce n'est pas une force, c'est un nombre : on ne peut ni décomposer ni amalgamer cette monade heureuse, franche, naturelle, mais seulement la combiner, jusqu'à rejoindre l'*âme intégrale*, corps transindividuel de 1 620 caractères.

L'ARBRE DU BONHEUR

Les passions (au nombre de 810 pour chaque sexe) partent, comme les rameaux d'un arbre (l'arbre-fétiche des classificateurs), de trois souches : le *luxisme*, qui rassemble les passions sensitives (une pour chacun des cinq sens), le *groupisme* (quatre passions de départ : l'honneur, l'amitié, l'amour, la parenté) et le *sériisme* (trois passions distributives). Toute la combinatoire s'éploie à partir de ces douze passions (elles n'ont aucune prééminence morale, mais seulement structurale).

Les neuf premières passions viennent de la psychologie classique, mais les trois dernières, formelles, sont d'invention fouriériste. La Dissidente (ou Cabalistique) est une fougue réfléchie, une passion de l'intrigue, une manie calculatrice, un art d'exploiter les différences, les rivalités, les conflits (on n'aura pas de peine à en reconnaître la texture paranoïaque); elle est le délice des courtisans, des femmes et des philosophes (des intellectuels), ce pour quoi on peut l'appeler aussi la Spéculative. La Composite (à vrai dire moins bien cernée que ses voisines) est la passion du débordement, de l'exaltation (sensuelle ou sublime), de la multiplication; on peut l'appeler la Romantique. La Variante (ou Alternante, ou Papillonne) est un besoin de variété périodique (changer d'occupation, de plaisir, toutes les deux heures); c'est, si l'on veut, la disposition du sujet qui n'investit pas d'une façon stable dans le « bon objet » : passion dont la figure mythique serait don Juan : individus qui changent sans cesse de métiers, de manies, d'amours, de désirs, dragueurs impénitents, infidèles, renégats, sujets à « humeurs », etc. : passion méprisée en Civilisation, mais que Fourier place très haut : c'est elle qui permet de parcourir rapidement beaucoup de passions à la fois, et telle une main agile sur un clavier multiple, de faire vibrer *harmonieusement* (c'est le cas de le dire) la grande âme intégrale; agent de transition universelle, elle anime ce genre de bonheur attribué aux sybarites parisiens, *l'art de vivre si bien et si vite, la variété et l'enchaînement des plaisirs*, la rapidité du mouvement (on se rappelle que pour Fourier le mode de vie de la classe possédante est le modèle même du bonheur).

Ces trois passions sont formelles : comprises dans le classement, elles en assurent le fonctionnement (la « mécanique »), ou plus exactement encore : le jeu. Si l'on compare l'ensemble des passions à un jeu de cartes ou d'échecs (ce qu'a fait Fourier), les trois distributives sont en somme les règles de ce jeu; elles énoncent comment concilier, équilibrer, faire mouvoir, et permettent de transformer les autres passions, dont chacune isolément serait inutile, en une suite de « brillantes et innombrables combinaisons ». Ce sont précisément ces règles du jeu (ces passions formelles, distributives) que la société

refuse : elles produisent (signe même de leur excellence) « les caractères qu'on accuse de corruption et qu'on nomme libertins, débau-
chés, etc. » : comme chez Sade, c'est la syntaxe, la syntaxe seule, qui
produit la plus haute immoralité.

Telles sont les douze passions radicales (comme les douze tons de
la gamme). Il y en a naturellement une treizième (tout bon classificateur sait qu'il doit surnumérer son tableau et ménager l'issue de
son système), qui est la tige même de l'arbre passionnel : c'est l'Unitéisme (ou Harmonisme). L'Unitéisme est la passion de l'unité, « le
penchant de l'individu à concilier son bonheur avec celui de tout ce
qui l'entoure et de tout le genre humain »; cette passion supplémentaire produit les Originaux, gens qui semblent mal à leur aise en ce
monde et qui ne peuvent s'accommoder des usages de la Civilisation;
c'est donc la passion de Fourier lui-même. L'Unitéisme n'est nullement une passion morale, recommandable (*aimez-vous, unissez-vous*),
puisque l'unité sociétaire est un combinat, un jeu structural de différences; à l'Unitéisme s'oppose précisément le simplisme, vice du génie
civilisé, « emploi de la raison sans le merveilleux ou du merveilleux
sans la raison »; le simplisme « a fait manquer à Newton la décou-
verte du système de la nature et à Bonaparte la conquête du monde ».
Le simplisme (ou totalitarisme, ou monologisme) serait, de nos jours,
ou censure du Besoin, ou censure du Désir; à quoi répondrait, en
Harmonie (en Utopie?), la science conjuguée de l'un et de
l'autre.

NOMBRES

L'autorité de Fourier, la Référence, la Citation, la Science, le Discours antérieur qui lui permet de parler et d'avoir lui-même autorité
sur « l'étourderie de 25 siècles savants qui n'y avaient pas songé »,
c'est le *calcul* (comme l'est aujourd'hui pour nous la formalisation).
Ce calcul n'a pas besoin d'être important ou compliqué : c'est un
petit calcul. Petit, pourquoi? Parce que, quoique conséquent (de lui

dépend le bonheur de l'humanité), ce calcul est simple. De plus, la petitesse emporte l'idée d'une certaine complaisance affectueuse : le petit calcul de Fourier est ce déclic simple qui ouvre à la fantasmagorie du détail adorable. ·

Tout se passe comme si Fourier cherchait l'idée même du détail, comme s'il la trouvait dans une numération ou une subdivision effrénée de tout objet qui se présente à son esprit, comme si cet objet déclenchait instantanément en lui un nombre ou un classement : c'est comme un réflexe conditionné qui impose à propos de tout un chiffre démentiel : « Il existait à Rome au temps de Varron 278 opinions contradictoires sur le vrai bonheur »; s'agit-il des liaisons illicites (en Civilisation)? elles n'existent pour Fourier que s'il les dénombre : « Pendant les 12 ans de célibat, l'homme a formé en moyen terme 12 liaisons d'amour illicite, à peu près 6 en commerce de fornication et 6 en commerce d'adultère, etc. » Tout est prétexte à nombre, depuis la carrière du globe (80 000 ans) jusqu'au nombre des caractères (1 620).

Le nombre fouriériste n'est pas arrondi et c'est en fait ce qui lui donne son délire (petit problème de socio-logique : pourquoi notre société considère-t-elle comme « normal » un nombre décimal et comme fou un nombre intra-décimal? Jusqu'où va se loger la normalité?). Ce délire est souvent justifié par des raisons encore plus délirantes, par lesquelles Fourier dénie l'arbitraire de ses comptes, ou, ce qui est encore plus fou, déplace cet arbitraire en justifiant, non le nombre donné, mais son étalon : la taille de l'homme sociétaire atteindra 84 pouces et 7 pieds; pourquoi? on ne le saura jamais, mais l'unité de mesure, elle, est pompeusement justifiée : « Ce n'est pas arbitrairement que j'indique le pied de roi de Paris pour mesure naturelle; il a cette propriété parce qu'il est égal à la 32ᵉ partie de la hauteur de l'eau dans les pompes aspirantes » (on retrouve ici cette brusque torsion du syntagme, cette anacoluthe, cette métonymie audacieuse qui fait le « charme » de Fourier : voilà les pompes aspirantes mêlées, en l'espace de quelques mots, à la taille de l'homme sociétaire). Le nombre est exaltant, c'est un opérateur de gloire,

108

comme le nombre triangulaire de la Trinité en style jésuite, non parce qu'il agrandit (ce serait perdre la fascination du détail), mais parce qu'il démultiplie : « En conséquence si l'on divise par 810 le nombre de 36 millions auquel s'élève la population de la France, on trouvera qu'il existe dans cet Empire 45 000 individus capables d'égaler Homère, 45 000 capables d'égaler Démosthène, etc. » Fourier est comme un enfant (ou un adulte : l'auteur de ces lignes n'ayant jamais fait de mathématiques, a lui-même éprouvé ce sentiment fort tard) qui découvrirait avec enchantement le pouvoir exorbitant de l'analyse combinatoire ou de la progression géométrique. A la limite, le chiffre lui-même n'est pas nécessaire à cette exaltation; il suffit de subdiviser une classe pour accomplir triomphalement ce paradoxe : que le détail (à la lettre : la *minutie*) magnifie, à la façon d'une joie. C'est une rage d'expansion, de possession et pour ainsi dire d'orgasme, par le nombre, par le classement : à peine un objet paraît, Fourier le taxinomise (on aurait presque envie de dire : le sodomise) : le mari est-il malheureux dans le ménage civilisé? C'est *immédiatement* pour 8 raisons (le malheur hasardé, la dépense, la vigilance, la monotonie, la stérilité, le veuvage, l'alliance, le cocuage). Le mot « sérail » vient-il à la phrase, *currente calamo*? Il y a *immédiatement* trois classes d'odalisques : les honnêtes femmes, les petites bourgeoises et les courtisanes. Qu'arrive-t-il aux femmes, après l'âge de dix-huit ans, en Harmonie? rien d'autre que d'être *classées* : les *Épouses* (elles-mêmes subdivisées en *constantes, douteuses* et *infidèles*), les *Damoiselles* ou *Demi-Dames* (elles changent de possesseurs, mais successivement, n'en ayant qu'un à la fois) et les *Galantes* (les unes et les autres encore subdivisées); aux deux termes de la série, deux enjolivures taxinomiques : les *Jouvencelles* et les *Indépendantes*. La richesse? Il n'y a pas que les Riches et les Pauvres; il y a : les pauvres, les gênés, les justes, les aisés, les riches. Bien entendu, pour qui aurait la manie contraire et ne tolérerait ni le nombre ni le classement ni le système (ceux-là sont nombreux en Civilisation, jaloux de la « spontanéité », de la « vie », de l' « imagination », etc.), l'Harmonie fouriériste serait l'Enfer même : en repas de thèse (repas-concours), chaque plat n'aurait-il pas deux étiquettes, écrites en gros caractères, visibles de loin et placées sur pivot, en sens opposés, « afin que l'une soit lisible par le travers de la table et l'autre dans sa longueur » (l'auteur de ces lignes a connu un petit enfer de ce genre : dans le collège américain où il prenait ses repas — mais le système était sorti d'un cerveau français —, pour obliger les étudiants à converser profitablement tout en s'alimentant et pour les faire bénéficier égalitairement de la verve du professeur, chaque convive devait à chaque repas avancer sa place d'un cran vers le soleil professoral, « dans le sens des aiguilles d'une montre », disait le règlement; il est à peine besoin de préciser qu'aucune « conversation » ne sortait de ce mouvement astral).

Peut-être l'*imagination du détail* est-elle ce qui définit spécifiquement l'Utopie (par opposition à la science politique); ce serait logique, puisque le détail est fantasmatique et accomplit à ce titre le plaisir même du Désir. Chez Fourier, le nombre est rarement statistique (visant à affirmer des moyennes, des probabilités); par la finesse apparente de sa précision, il est essentiellement qualitatif. La *nuance*, gibier de cette chasse taxinomique, est une garantie de plaisir (de comblement), puisqu'elle détermine une combinatoire *juste* (savoir avec qui se grouper pour pouvoir entrer en complémentarité avec nos propres différences). L'Harmonie doit donc comporter des opérateurs de nuances, tout comme un atelier de tapisserie possède des spécialistes chargés de nuer les fils. Ces nuanceurs sont : ou des opérations (dans l'érotique fouriériste, la « salve de simple nature » est une bacchanale préalable, une mêlée qui permet aux partenaires de s'essayer avant de se choisir; on y pratique « les caresses de parcours ou reconnaissances de terrain »; cela prend un demi-quart d'heure), ou bien des agents : ceux-ci sont : ou des « confesseurs » (ces confesseurs ne recueillent aucune Faute : ils « psychanalysent », pour dégager les sympathies, souvent masquées par les apparences et la méconnaissance des sujets : ce sont des débrouilleurs de nuances complémentaires), ou des « dissolvants » (les dissolvants, introjectés dans un groupe qui n'a pas encore trouvé sa combinatoire juste, son « harmonie », y produisent des effets énormes : ils défont les accouplements erronés en révélant à chacun sa passion, ce sont des virants, des mutants : ainsi des saphiennes et des pédérastes qui, jetés dans la mêlée, s'attaquant d'abord « aux champions de leur acabit », « reconnaissent leurs pareils et disjoignent une bonne partie des couples que le hasard avait unis »).

La nuance, pointe du nombre et du classement, a pour champ total l'*âme intégrale*, espace humain défini par son ampleur, puisqu'elle est la dimension combinatoire à l'intérieur de laquelle le sens est possible; aucun homme ne se suffit, aucun n'est à lui seul l'âme intégrale : il y faut 810 caractères des deux sexes, soit 1 620, auxquels s'ajoutent les omnititres (degré complexe des oppositions) et les nuances infinitésimales de passion. L'âme intégrale, tapisserie en quoi s'énonce chaque nuance, est la grande phrase que chante l'univers : c'est en somme la Langue dont chacun de nous n'est qu'un mot. La Langue est immortelle : « A l'époque du décès de la planète, sa grande âme, et par suite les nôtres qui lui sont inhérentes, passeront sur un autre globe neuf, sur une planète qui sera implanée, concentrée et trempée... »

LE BRUGNON

Il y a toujours, dans n'importe quel classement de Fourier, une part réservée. Cette part est appelée de noms divers : passage, mixte, transition, neutre, trivialité, ambigu (nous pourrions, nous, l'appeler : *supplément*); naturellement, elle est nombrée : c'est le 1/8 de toute collection. Ce 1/8 a d'abord une fonction bien connue des savants : c'est la part légale de l'erreur. (« Les calculs sur l'Attraction et sur le Mouvement social sont tous sujets à l'exception d'un 1/8... elle sera toujours sous-entendue. ») Seulement, comme chez Fourier il s'agit toujours d'un *calcul de bonheur*, l'erreur est immédiatement éthique : quand la Civilisation (abhorrée) « se trompe » (sur son propre système), elle produit le bonheur : le 1/8 représente donc, en Civilisation, les gens heureux. De cet exemple, il·est facile de comprendre que pour Fourier la huitième part ne procède pas d'une concession libérale ou statistique, de la vague reconnaissance d'un *écart* possible, d'un relâchement « humain » du système (que l'on devrait prendre avec philosophie); il s'agit bien au contraire d'une haute fonction structurale, d'une contrainte de code. Laquelle?

En tant que classificateur (taxinomiste), ce dont Fourier a le plus grand besoin, ce sont les passages, les termes spéciaux qui permettent de transiter (d'engrener) d'une classe à une autre[1], c'est l'espèce de lubrifiant dont l'appareil combinatoire doit faire usage pour ne pas grincer; la part réservée est donc celle des *Transitions* ou *Neutres* (le neutre est ce qui prend place *entre* la marque et la non-marque, cette sorte de tampon, d'amortisseur, dont le rôle est d'étouffer, d'adoucir, de fluidifier le *tic-tac* sémantique, ce bruit métronomique qui signe obsessionnellement l'alternance paradigmatique : *oui/non*, *oui/non*, *oui/non*, etc.). Le brugnon, qui est l'une de ces Transitions, amortit l'opposition de la prune et de la pêche, comme le coing amortit celle de la poire et de la pomme : ils font partie du 1/8 des fruits. Cette part (le 1/8) est scandaleuse parce qu'elle est contra-dictoire : elle est la classe où s'engouffre tout ce qui tente d'échapper au classement; mais aussi cette part est supérieure : espace du Neutre, du *supplément de classement*, elle relie les règnes, les passions, les caractères; l'art d'employer les Transitions est l'art majeur du calcul harmonien : le principe neutre est détenu par les mathématiques, langue pure du combinatoire, du composé, chiffre même du *jeu*.

Il y a des ambigus dans toutes les séries : la sensitive, la chauve-souris, le poisson-volant, les amphibies, les zoophytes, le saphisme, le pédérastisme, l'inceste, la société chinoise (mi-barbare, mi-civilisée, possédant des sérails et des tribunaux de judicature et d'étiquette), la chaux (feu et eau), le système nerveux (corps et âme), les crépuscules,

---

1. « Les transitions sont en équilibre passionnel ce que sont les chevilles et emboîtements dans une charpente » (IV, 135).

le café (ignominieusement rebuté à Moka pendant 4 000 ans, puis livré brusquement à la fureur mercantile, passé de l'abjection au rang suprême), les enfants (troisième sexe passionnel, ni hommes ni femmes). Est Transition (Mixte, Ambigu, Neutre) tout ce qui est duplicité de contraires, jonction d'extrêmes, et peut de la sorte prendre pour forme emblématique l'ellipse, qui a double foyer.

Les Transitions ont, en Harmonie, un rôle bénéfique; par exemple, elles empêchent la monotonie en amour, le despotisme en politique : les passions distributives (la composite, la cabalistique, la papillonne) ont un rôle de transition (elles « engrènent », assurent les changements d' « objets »); Fourier raisonnant toujours en contre-marche, ce qui est bénéfique en Harmonie procède nécessairement de ce qui est discrédité ou réprimé en Civilisation : les Transitions sont donc des « trivialités », négligées par les savants civilisés comme sujets ignobles : la chauve-souris, l'albinos, vilaine race d'ambigu, le goût des volailles coriaces. L'exemple même de Transition Triviale est la Mort : transition ascendante entre la vie harmonienne et le bonheur de l'autre vie (bonheur tout sensuel), elle « perdra tout ce qu'elle a d'odieux quand la philosophie daignera consentir à étudier les transitions qu'elle proscrit sous le titre de trivialités ». Tout ce qui est rebuté en Civilisation, de la pédérastie à la Mort, prend en Harmonie une valeur éminente (mais non prééminente : rien ne domine rien, tout se combine, s'engrène, alterne, tourne). Cette *justesse* de fonctionnement (cette *justice*), c'est l'erreur même du 1/8 qui l'assure. Le *Neutre* est donc l'opposé de la *Moyenne*; celle-ci est une notion quantitative, non structurale; elle est la figure même de l'oppression que le grand nombre fait subir au petit nombre; pris dans un calcul statistique, l'intermédiaire se remplit et engorge le système (ainsi des classes *moyennes*); le neutre, au contraire, est une notion purement qualitative, structurale; il est ce qui *déroute* le sens, la norme, la normalité. Avoir le goût du *neutre*, c'est forcément se dégoûter du *moyen*.

> « ...que le réel contenu de ces systèmes ne se
> trouve guère dans leur forme systématique, c'est
> ce que prouvent le mieux les fouriéristes ortho-
> doxes... qui malgré toute leur orthodoxie sont
> exactement les antipodes de Fourier : des bour-
> geois doctrinaires. »
>
> MARX-ENGELS,
> *Idéologie allemande*

Fourier nous permet peut-être de redire l'opposition suivante (que l'on a naguère énoncée en distinguant le romanesque du roman, la poésie du poème, l'essai de la dissertation, l'écriture du style, la production du produit, la structuration de la structure [1]) : le *système* est un corps de doctrine à l'intérieur duquel les éléments (principes, constats, conséquences) se développent logiquement, c'est-à-dire, du point de vue du discours, rhétoriquement. Le système étant fermé (ou monosémique) est toujours théologique, dogmatique; il vit de deux illusions : une illusion de transparence (le langage dont on se sert pour l'exposer est réputé purement instrumental, ce n'est pas une écriture) et une illusion de réalité (la fin du système est qu'il soit *appliqué*, c'est-à-dire qu'il sorte du langage pour aller fonder un réel défini vicieusement comme l'extériorité même du langage); c'est un délire étroitement paranoïaque, dont la voie de transmission est l'insistance, la répétition, le catéchisme, l'orthodoxie. L'œuvre de Fourier ne constitue pas un *système*; c'est seulement lorsqu'on a voulu « réaliser » cette œuvre (dans les phalanstères), qu'elle est devenue rétrospectivement un « système » voué à un fiasco immédiat; le système, c'est dans la terminologie de Marx-Engels, la « forme systé-matique », c'est-à-dire de l'idéologique pur, de l'idéologique-reflet; *le systématique* est le jeu du système; c'est du langage ouvert, infini,

1. S/Z, éditions du Seuil, 1970, p. 11.

114

dégagé de toute illusion (prétention) référentielle; son mode d'apparition, de constitution, n'est pas le « développement» mais la pulvé-
risation, la dissémination (la poussière d'or du signifiant); c'est un
discours sans « objet » (il ne parle d'une chose que de biais, en la
prenant en écharpe : ainsi de la Civilisation chez Fourier) et sans
« sujet » (en écrivant, l'auteur ne se laisse pas prendre dans le sujet
imaginaire, car il « campe » son rôle d'énonciateur d'une façon dont
on ne peut décider si elle est sérieuse ou parodique). C'est un délire
large, qui ne ferme pas mais permute. Face au système, monologique,
le systématique est dialogique (il est mise en œuvre d'ambiguïtés, il
ne souffre pas des contradictions); c'est une écriture, il en a l'éternité
(la permutation perpétuelle des sens le long de l'Histoire); le systématique ne se soucie pas d'application (sinon à titre d'un pur imaginaire, d'un théâtre du discours), mais de transmission, de circulation
(signifiante); encore n'est-il transmissible qu'à la condition d'être
déformé (par le lecteur); dans la terminologie de Marx-Engels, le
systématique serait le *contenu réel* (de Fourier). — Ici, on n'expose
pas le système de Fourier (cette part de sa systématique qui joue imaginairement au système), mais on parle seulement de quelques lieux
de son discours qui appartiennent au systématique.

(Fourier met en déroute — en dérive — le système par deux opérations : d'abord en en renvoyant sans cesse l'exposé définitif à plus
tard : la doctrine est à la fois superbe et dilatoire; ensuite en inscri-
vant le système dans le systématique, à titre de parodie incertaine,
d'ombre, de jeu. Par exemple : Fourier s'attaque au « système » civilisé (répressif), il demande une liberté intégrale (des goûts, des passions,
des manies, des lubies); on s'attendrait donc à une philosophie spon-
tanéiste, mais c'est tout le contraire qu'on a : un système éperdu, dont
l'excès même, la tension fantastique, dépasse le système et accomplit
le systématique, c'est-à-dire l'écriture : la liberté n'est jamais le
contraire de l'ordre, c'est *l'ordre paragrammatisé* : l'écriture doit
mobiliser en même temps une image et son contraire.)

Qu'est-ce qu'une party? 1) un *partage*, qui isole un groupe loin des autres, 2) une *partouze*, qui en lie érotiquement les participants, 3) une *partie*, le moment réglé d'un jeu, d'un divertissement collectif. Chez Sade, chez Fourier, la party, qui est la plus haute forme du bonheur sociétaire ou sadien, possède ce triple caractère : c'est une cérémonie mondaine, une pratique érotique, un acte social.

La vie fouriériste est une immense party. Dès 3 heures et demie du matin, au solstice d'été (on a besoin de peu de sommeil en Harmonie), l'homme sociétaire est en état de mondanité : engagé dans une succession de « rôles » (chacun étant l'affirmation nue d'une passion) et soumis aux règles de combinaison (d'engrenage) de ces rôles : ceci est très exactement la définition de la mondanité, qui fonctionne comme une langue : l'homme mondain est quelqu'un qui passe son temps à *citer* (et à *tisser* ce qu'il cite). Les citations auxquelles recourt Fourier pour décrire béatement la vie mondaine de l'homme sociétaire proviennent paradoxalement (paragrammatiquement) des lexiques répressifs du régime civilisé : l'Église, l'État, l'Armée, la Bourse, les Salons, la colonie pénitentiaire, le scoutisme fournissent à la party fouriériste ses images les plus suaves [1].

Toute mondanité est dissociatrice : il s'agit de s'enfermer pour exclure et pour tracer le champ à l'intérieur duquel les règles du jeu peuvent fonctionner. La party fouriériste connaît deux clôtures, traditionnelles, celle du temps et celle du lieu.

La topographie du phalanstère trace un lieu original, qui est en gros celui des palais, monastères, manoirs et grands « ensembles », où se confondent une organisation de l'édifice et une organisation du territoire, en sorte que (vue toute moderne) l'architecture et l'urba-

---

1. Locutions innombrables, telles : « Saints et Patrons béatifiés et canonisé-en concile de la Hiérarchie Sphérique. » Tout péché pivotal astreint à la répas ration septuple » (VII, 191) — il est vrai que cette réparation est peu pénitentielle, consistant à faire 7 fois l'amour avec 7 personnes différentes. « Le Journal officiel des Transactions gastronomiques de l'Euphrate » (VII, 378), etc.

nisme se défassent l'un l'autre au profit d'une science générale du lieu humain, dont le caractère premier n'est plus la protection, mais la circulation : le phalanstère est une réclusion à l'intérieur de laquelle on circule (il existe cependant des sorties hors du phalanstère : ce sont les grands voyages de hordes, les « party » ambulantes). Cet espace est évidemment fonctionnalisé, comme le montre la reconstitution suivante (très approximative, puisque le discours fouriériste, comme toute écriture, est *irréductible*).

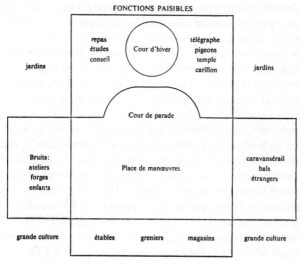

FONCTIONS PAISIBLES

repas
études
conseil

Cour d'hiver

télégraphe
pigeons
temple
carillon

jardins

jardins

Cour de parade

Bruits :
ateliers
forges
enfants

Place de manœuvres

caravansérail
bals
étrangers

grande culture

étables   greniers   magasins

grande culture

Il y a trois étages, les enfants sont à l'entresol

117

La grande affaire de cette organisation, c'est la communication. Telles ces bandes d'adolescents qui vivent ensemble toutes les journées de leurs vacances dans un plaisir continu et ne rentrent le soir chez eux qu'à regret, les sociétaires n'ont pour se déshabiller et dormir qu'une loge passagère, où un simple brasero suffit. En revanche, avec quelle prédilection et quelle insistance Fourier décrit les galeries couvertes, chauffées, ventilées, souterrains sablés et couloirs élevés sur colonnes, par lesquelles les palais ou manoirs des Tribus voisines doivent communiquer! Le lieu fermé n'est admis qu'en amour, encore n'est-ce que pour parfaire — pour « sceller » — les unions esquissées dans les bacchanales, salves de simple nature ou séances d'abordage.

A la délimitation topographique correspond cet appareil de clôture temporelle qu'est le *timing*; comme il faut changer de passion (d'investissement, d'objet) toutes les deux heures, le temps optimal est un temps brisé (c'est la fonction du *timing* que de démultiplier la durée, de surproduire du temps et d'augmenter de la sorte la puissance de vie : « Jamais la journée ne sera assez longue pour suffire aux intrigues et réunions joyeuses que prodigue le nouvel ordre » : on croirait entendre un adolescent qui, en vacances, a trouvé « sa bande »); par exemple, en Ordre combiné, il y a 5 repas (à 5 heures du matin, la matine ou le délité, à 8 heures le déjeuner, à 1 heure le dîner, à 6 heures le goûter, à 9 heures le souper) et deux collations (à 10 heures et à 4 heures), : on dirait l'horaire d'un sanatorium de l'ancienne manière. L'homme harmonien — régénéré physiologiquement par un régime de bonheur — ne dort que de 11 heures du soir à 3 heures et demie du matin; il ne fait jamais l'amour la nuit, détestable habitude civilisée.

L'amour (le bonheur érotique, y compris l'*éros* du sentiment) est la grande affaire de la longue journée harmonienne : « Dans l'Harmonie, où personne n'est pauvre et où chacun est admissible en amour jusqu'à un âge très avancé, chacun donne à cette passion une portion fixe de la journée et l'amour y devient affaire principale : il a son code, ses tribunaux [nous savons déjà que les peines consistent en nouvelles amours], sa cour et ses institutions. » Comme l'*éros* sadien, celui de Fourier est classificateur, distributeur : la population est répartie en classes amoureuses. Chez Sade, il y a les historiennes, les fouteurs, etc.; chez Fourier, il y a les quadrilles de Vestalité, les Jouvenceaux et Jouvencelles, les Favoris et Favorites, les Géniteurs, etc. De Sade à Fourier, seul change l'*ethos* du discours : ici jubilant, là euphorique. Car le fantasme érotique reste le même; c'est celui de la *disponibilité* : que toute demande d'amour trouve *sur-le-champ* un sujet-objet qui soit *à disposition*, soit par contrainte, soit par association; c'est le ressort même de la partouze idéale, lieu fantasmatique, contre-civilisé, où personne ne se refuse à personne, l'enjeu n'étant pas de multiplier les partenaires (ce n'est pas un problème quantitatif!), mais d'abolir la blessure de toute dénégation; l'opulence du matériel érotique, parce qu'il s'agit précisément du Désir et non du Besoin, ne vise pas à constituer une « société de consommation » amoureuse, mais, paradoxe, scandale véritablement utopique, de faire fonctionner le Désir dans sa contradiction même, à savoir : le combler *perpétuellement* (*perpétuellement* veut dire qu'il est à la fois *toujours et jamais* comblé, ou : *jamais et toujours* : cela dépend du degré d'enthousiasme ou d'amertume selon lequel on conclut le fantasme). C'est ce que signifie la plus haute institution amoureuse de la société fouriériste : l'Angélicat (encore une citation ecclésiastique); l'Angélicat est, en Harmonie, ce couple très beau qui, par « philanthropie », se donne de droit à tous ceux ou celles qui le désirent (y compris les contrefaits). L'Angélicat a une autre fonction, non plus philanthropique, mais médiatrice : il *conduit* le désir: comme si chaque homme, laissé à lui-même, était incapable de savoir qui désirer, comme s'il était aveugle, impuissant à inventer son désir, comme si c'était toujours aux autres à nous désigner *là où est le désirable* (nul doute que ce ne soit la fonction principale des représentations dites érotiques dans la culture de masse: fonction non de substitution, mais de conduction); le couple angélique est le sommet du triangle amoureux : il est ce point de fuite, sans lequel il n'est pas de *perspective* érotique [1].

1. Peut-on imaginer classement plus sadien que celui-ci : l'Angélicat est organisé selon trois degrés de noviciat : 1) le *parcours chérubique* (le postulant doit l'holocauste d'un jour entier à chaque membre du chœur des vénérables); 2) le *parcours*

La party, rituel commun à Sade et à Fourier, a pour « preuve » un fait de discours, que l'on trouve également chez l'un et chez l'autre : la pratique amoureuse ne peut s'énoncer que sous forme d'une « scène », d'un « scénario », d'un « tableau vivant » (disposition proprement fantasmatique) : ce sont toutes les « séances » sadiennes auxquelles souvent il ne manque même pas un décor : jardins, bosquets, voiles colorés, guirlandes de fleurs, c'est, chez Fourier, le roman de Gnide. Il appartient en effet à la puissance même du fantasme, au pouvoir destructeur qu'il exerce sur les modèles culturels en les utilisant *irrespectueusement*, de « représenter » la scène érotique sous les couleurs les plus fades et avec le ton « comme il faut » de l'art petit-bourgeois : les scènes les plus fortes de Sade, les délires prosaphiens de Fourier ont pour cadre un décor des Folies-Bergère : conjonction carnavalesque de la transgression et de l'opéra, lieu sage d'actions folles, où s'abîme *le sujet dans sa culture*, dérision qui emporte à la fois l'art et le sexe, dénie tout sérieux à la transgression même, interdit de la sacraliser (en donnant à la prostitution générale le décor des *Pêcheurs de perles*), fuite éperdue du signifié à travers le décalage de l'esthétique et du sexe, que le langage courant tente d'accomplir à sa manière lorsqu'il parle de *ballets roses* ou de *ballets bleus*.

LES COMPOTES

Un livre oriental dit qu'il n'est de meilleur remède contre la soif qu'un peu de compote froide, bien sucrée, suivie de quelques gorgées d'eau fraîche. Ce conseil eût doublement enchanté Fourier : d'abord à cause de la conjonction du solide et du liquide (c'est le type même d'une Transition, d'un Mixte, d'un Neutre, d'un Passage, d'un Crépuscule); ensuite à cause de la promotion des compotes au rang

séraphique (l'holocauste est de plusieurs jours et se fait aux deux sexes); 3) le *parcours séidique* (l'holocauste se fait à un chœur de patriarches : ils sont probablement encore plus vieux!).

d'aliment philosophal (c'est le *Composé*, non le Simple, qui étanche la soif, le désir).

L'Harmonie sera sucrée. Pourquoi? Pour plusieurs raisons, construite en surdétermination (indice probable d'un fantasme). D'abord parce que le sucre est un *contre-pain*; puisque le pain est un objet mythique de la Civilisation, symbole de travail et d'amertume, emblème du Besoin, l'Harmonie renversera l'usage du pain et en fera le chiffre du Désir; le pain deviendra aliment de haut luxe (« l'un des comestibles les plus coûteux et les plus épargnés »); en contrepartie, le sucre deviendra l'aliment courant, le sucre deviendra le blé [1]. Ensuite, parce que le sucre, ainsi promu, allié au fruit sous forme de compote, formera le Pain d'Harmonie, base de nourriture chez les peuples devenus riches et heureux [2]. En un sens, toute l'Harmonie est sortie d'un goût de Fourier pour les compotes, comme une vie d'homme peut sortir d'un rêve d'enfant (ici, le rêve du Pays de Confiserie, aux lacs de confiture, aux montagnes de chocolat) : l'œuvre retourne le fantasme lointain en raison : toute une construction aux ramifications immenses, subtiles (le régime sociétaire, la cosmogonie du nouveau monde) part de la métaphore étymologique : la compote (*composita*) étant un composé, un système euphorique du Mixte s'édifie; par exemple : est-ce que ce régime hyperglucidé n'est pas dangereux pour la santé? Fourier n'est pas en peine d'inventer un contre-sucre, parfois lui-même fort sucré : « Cette abondance de mets sucrés sera exempte d'inconvénients quand on pourra corriger l'influence vermineuse du sucre par une grande abondance de vins liquoreux pour les hommes, de vins blancs pour les femmes et les enfants, de boissons acidulées, comme limonade, aigre de cèdre... ». Ou plutôt : dans le carrousel du signifiant, nul ne peut dire *qui commence*, du goût de

1. « Alors l'Afrique fournira à peu de frais les denrées du climat chaud, le sucre de canne qui n'aura, poids pour poids, que la valeur du blé, quand 70 millions d'Africains et tout les pleuples de zone torride le cultiveront » (II, 14).
2. « Alors on prodiguera aux enfants la compote à quart de sucre, parce qu'elle sera à poids égal moins coûteuse que le pain...; la nourriture pivotale de l'homme ne doit pas être le pain, comestible simple, provenant d'une seule zone, mais le fruit au sucre, comestible composé, alliant les produits des deux zones » (IV, 19).

Fourier (pour le sucre, négation de tout conflictuel? pour le mélange de fruits? pour l'aliment cuit, transformé en substance semi-liquide?) ou de l'exaltation d'une forme pure, le composite-compote, le combinatoire. Le signifiant (Fourier y accède pleinement) est un tissu inoriginé, indéterminé, un texte.

LE TEMPS QU'IL FAIT

L'ancienne Rhétorique, surtout celle du moyen âge, comprenait une topique particulière, celle des *impossibilia* (en grec : *adunata*) ; l'*adunaton* était un lieu commun, un *topos*, construit sur l'idée de *comble* : deux éléments naturellement contraires, ennemis (le vautour et la colombe) étaient présentés vivant pacifiquement ensemble (« Le feu brûle dedans la glace, Le soleil devient noir, Je vois la lune qui va choir, Cet arbre est sorti de sa place », écrivait Théophile de Viau) ; l'image impossible servait à stigmatiser un temps détesté, celui d'une contre-nature scandaleuse (« on aura tout vu! »). Une fois de plus, Fourier renverse le lieu rhétorique; l'*adunaton* lui sert à célébrer les prodiges d'Harmonie, la conquête de la Nature par des voies contre-naturelles; par exemple, rien de plus incontestablement « naturel » (éternel) que le saumâtre de la mer, dont l'eau est incomestible; Fourier, par l'action aromale de la couronne boréale, la change en limonade (*aigre de cèdre*); c'est un *adunaton* positif.

Les *adunata* de Fourier sont nombreux. Tous peuvent se ramener à cette conviction (très moderne) que la culture des hommes modifie le climat[1]. Pour Fourier, la « nature » humaine est indéformable (seulement combinable), mais la nature « naturelle », elle, est modifiable (la raison en est que la cosmogonie de Fourier est *aromale*, soumise à l'image du fluide sexuel, alors que sa psychologie est discontinue, offerte à l'agencement, non à l'effluve).

Cette topique de l'*impossible* suit les catégories de l'ancienne rhétorique :

1. « ... l'air est un champ soumis aussi bien que les terres à l'exploitation industrielle » (III, 97).

I. *Chronographies* (ce sont les impossibilités temporelles) : « Nous allons être témoins d'un spectacle qui ne peut se voir qu'une fois dans chaque globe : le passage subit de l'incohérence à la combinaison sociale... Chaque année, pendant cette métamorphose, vaudra des siècles d'existence... etc. »

II. *Topographies.* Les impossibilités d'espace, très nombreuses, relèvent de ce que nous appelons la géographie : 1. *Climatologie :* a) Fourier change les climats, fait du pôle une nouvelle Andalousie et met aux côtes de Sibérie la douce température de Naples et de Provence; b) Fourier améliore les saisons, détestables dans la France civilisée (thème : *Y a plus de printemps!*) : « 1822 n'a point eu d'hiver, 1823 point de printemps. Ce désordre continu depuis dix ans est l'effet d'une lésion aromale qu'éprouve la planète par la trop longue durée du chaos civilisé, barbare et sauvage » (thème : *c'est la faute de la Bombe*); c) Fourier régente les micro-climats : « L'atmosphère et les abris sont une partie intégrante de nos vêtements... On n'a jamais songé, en civilisation, à perfectionner cette portion du vêtement qu'on nomme atmosphère, avec laquelle nous sommes en contact perpétuel » (c'est le thème des couloirs phalanstériens, chauffés et ventilés). 2. *Pédologie :* [Les Croisés en savaterie et décrottage]... de là ils se sont portés en masse à Jérusalem et ont débuté par recouvrir de bonne terre et de plantations ce calvaire où les Chrétiens viennent réciter d'inutiles patenôtres; ils en ont fait en trois jours une montagne fertile. Ainsi leur religion consiste à assurer l'utile et l'agréable à ces contrées où notre stupide piété ne portait que le ravage et la superstition. » 2. *Géographie physique :* Fourier fait subir à la carte du monde une véritable opération de chirurgie esthétique : il déplace les continents, greffe des climatures, « remonte » l'Amérique du Sud (comme on remonte des seins), « descend » l'Afrique, perce des isthmes (Suez et Panama), permute les villes (Stockholm vient à la place de Bordeaux, Saint-Pétersbourg à la place de Turin), fait de Constantinople la capitale du monde harmonien. 4. *Astronomie :* « L'homme est appelé à déplacer et à replacer les astres. »

III. *Prosopographies* : ce sont les modifications du corps humain :
a) stature : « La taille humaine gagnera 2 à 3 pouces par génération,
jusqu'à ce qu'elle ait atteint le terme moyen de 84 pouces ou 7 pieds
pour les hommes. » *b) âge :* « Alors le terme plein de la vie sera de
144 ans et les forces en proportion. » *c) physiologie :* « Cette multitude
de repas est nécessaire à l'appétit dévorant qu'excitera le nouvel
Ordre... Les enfants élevés de la sorte acquerront des tempéraments
de fer et seront sujets à un retour d'appétit de 2 ou 3 heures, à cause
de la prompte digestion qui sera due à la délicatesse des mets »
(on côtoie ici encore un thème sadien : ce qui est chez Fourier réglage
de l'ingestion par la digestion, se trouve *renversé* (ou redressé) chez
Sade, où c'est l'ingestion qui règle la digestion (la coprophagie a
besoin de bonnes matières fécales); *d) sexe :* « Il faudrait pour confondre la tyrannie des hommes qu'il existât pendant un siècle un troisième
sexe, mâle et femelle, et plus fort que l'homme. »

Inutile d'insister sur le caractère raisonnable de ces délires, puisque
certains sont en voie d'application (accélération de l'Histoire, modification des climats par la culture ou l'urbanisation, percée des
isthmes, transformation des sols, conversion des lieux désertiques
en lieux cultivés, conquête des astres, accroissement de la longévité,
développement physique des races). L'*adunaton* le plus fou (le plus
résistant) n'est pas celui qui renverse les lois de la « nature », mais
celui qui renverse les lois du langage. Les *impossibilia* de Fourier,
ce sont ses néologismes. Il est plus facile de prévoir la subversion
du « temps qu'il fait » que d'imaginer, tel Fourier, un masculin au
mot « *Fées* » et de l'écrire tout simplement : « *Fés* » : le surgissement
d'une configuration graphique insolite d'où a chu la féminité, voilà
le véritable *impossible* : l'impossible ramassé du sexe et du langage :
dans « *matrones et matrons* », c'est vraiment un nouvel *objet*, monstrueux, transgresseur, qui vient à l'humanité.

SADE II

CACHER LA FEMME

Tous les libertins ont cette manie, dans leurs plaisirs, de vouloir cacher scrupuleusement le sexe de la Femme. Triple profit. D'abord une parodie dérisoire renverse la morale : une même phrase sert au libertin et au puritain : « Cachez le con, mesdames », dit Gernande indigné à Justine et Dorothée, du même ton que Tartuffe s'adresse à Dorine (« Couvrez ce sein que je ne saurais voir »); la phrase et le vêtement restent en place mais selon des fins contraires, ici pudeur hypocrite, là débauche. La meilleure des subversions ne consiste-t-elle pas à défigurer les codes, plutôt qu'à les détruire?

Ensuite : la Femme est abîmée : on l'empaquette, on l'entortille, on l'embéguine, on la déguise, de façon à effacer toute trace de ses attraits antérieurs (figure, seins, sexe); on produit une sorte de poupée chirurgicale et fonctionnelle, un corps *sans devant* (horreur et défi structural), un pansement monstrueux, une *chose*.

Enfin : par son ordre d'occultation, le libertin contredit l'immoralisme courant, il prend le contre-pied de la pornographie des collégiens, qui fait de la dénudation sexuelle de la Femme la suprême audace. Sade demande un *contre-strip-tease*; alors que sur la scène des music-halls le triangle de diamant à quoi finalement résiste le dévêtement de la danseuse désigne en l'interdisant l'arcane même de la jouissance, ce même triangle, dans la cérémonie libertine, définit le lieu d'une horreur : « Bressac pose des mouchoirs triangulaires, renoués sur les reins; et les deux femmes s'avancent... »

127

La morale libertine consiste, non à détruire, mais à dévoyer; elle détourne l'objet, le mot, l'organe, de son usage endoxal; mais pour que ce vol s'accomplisse, pour qu'il y ait prévarication du système libertin aux dépens de la morale courante, il faut que le sens persiste, il faut que la Femme continue à représenter un espace paradigmatique, pourvu de deux lieux dont le libertin, en linguiste respectueux du signe, va marquer l'un et neutraliser l'autre. Certes, en cachant le sexe de la Femme, en dénudant ses fesses, le libertin semble l'égaler au garçon et chercher dans la Femme ce qui n'est pas la Femme; mais l'abolition scrupuleuse de la différence est truquée, car cette Femme sans sexe n'est cependant pas l'Autre de la Femme (le garçon) : parmi les sujets de débauche, la Femme reste prééminente (les pédérastes ne s'y trompent pas, qui répugnent ordinairement à reconnaître Sade pour un des leurs); c'est qu'il faut que le paradigme fonctionne; seule la Femme donne à *choisir* deux sites d'intromission : en choisissant l'un contre l'autre *dans le champ d'un même corps*, le libertin produit et assume un sens, celui de la transgression. Le garçon, parce que son corps n'offre au libertin aucune possibilité de parler le paradigme des sites (il n'en propose qu'un), est moins *interdit* que la Femme : il est donc, systématiquement, moins intéressant.

NOURRITURE

La nourriture sadienne est fonctionnelle, systématique. Cela ne suffirait pas à la rendre romanesque. Sade y ajoute un supplément d'énonciation : l'invention du détail, la nomination des plats. Victorine, l'intendante de Sainte-Marie-des-Bois, mange à son repas une dinde aux truffes, un pâté de Périgueux, une mortadelle de Bologne et boit six bouteilles de vin de Champagne; Sade note ailleurs le menu d'un « dîner fort irritant : potage au bouillon de 24 petits moineaux au riz et au safran, tourte dont les boulettes iont de viande de pigeon hachée et garnie de culs d'artichauts, œufs au jus, compote à l'ambre ». Le passage de la notation générique

128

(« ils se restaurèrent ») au menu détaillé (« à la pointe du jour on leur servit des œufs brouillés, chincara, potage à l'oignon et omelettes ») constitue la marque même du romanesque : on pourrait classer les romans selon la franchise de l'allusion alimentaire : avec Proust, Zola, Flaubert, on sait toujours ce que mangent les personnages; avec Fromentin, Laclos ou même Stendhal, non. Le détail alimentaire excède la signification, il est le supplément énigmatique du sens (de l'idéologie); dans l'oie dont s'empiffre le vieux Galilée, il n'y a pas seulement un symbole actif de sa situation (Galilée est hors de la course; il mange; ses livres agiront pour lui), mais aussi comme une tendresse brechtienne pour la jouissance. De même les menus de Sade ont pour fonction (infonctionnelle) d'introduire le plaisir (et non plus seulement la transgression) dans le monde libertin.

LE TAPIS ROULANT

L'Éros sadien est évidemment stérile (diatribes contre la génération). Son modèle est cependant le travail. L'orgie est organisée, distribuée, commandée, surveillée comme une séance d'atelier; sa rentabilité est celle du travail à la chaîne (mais sans plus-value) : « Je n'ai vu de mes jours, dit Juliette chez Francaville sodomisé 300 fois en deux heures, un service aussi lestement fait que celui-là. Ces beaux membres, ainsi préparés, arrivaient de main en main jusque dans celles des enfants qui devaient les introduire; ils disparaissaient dans le cul du patient; ils en sortaient, ils étaient remplacés; et tout cela avec une légèreté, une promptitude dont il est impossible de se faire une idée. » Ce qui est décrit ici est en fait une machine (la Machine est l'emblème sublimé du travail dans la mesure où elle l'accomplit et l'exonère en même temps); enfants, ganymèdes, préparateurs, tout le monde forme un immense et subtil rouage, une horlogerie fine, dont la fonction est de lier la jouissance, de produire un temps continu, d'amener le plaisir au sujet sur un tapis roulant (le sujet est magnifié comme issue et finalité de toute la machinerie, et cependant dénié, réduit à un morceau de son corps). Toute combinatoire a besoin d'un opérateur de continuité; tantôt c'est la couverture simultanée de tous les sites du corps, tantôt, comme ici, c'est la rapidité même des obturations.

LA CENSURE, L'INVENTION

Sade est apparemment censuré deux fois : lorsqu'on interdit d'une manière ou d'une autre la vente de ses livres; lorsqu'on le déclare ennuyeux, illisible. La vraie censure, cependant, la censure profonde, ne consiste pas à interdire (à couper, à retrancher, à affamer), mais à nourrir indûment, à maintenir, à retenir, à étouffer, à engluer dans les stéréotypes (intellectuels, romanesques, érotiques), à ne donner pour toute nourriture que la parole consacrée des autres, la matière répétée de l'opinion courante. L'instrument véritable de la censure, ce n'est pas la police, c'est l'*endoxa*. De même qu'une langue se définit mieux par ce qu'elle oblige à dire (ses rubriques obligatoires) que par ce qu'elle interdit de dire (ses règles rhétoriques), de même la censure sociale n'est pas là où l'on empêche, mais là où l'on contraint de parler.

La subversion la plus profonde (la contre-censure) ne consiste donc pas forcément à dire ce qui choque l'opinion, la morale, la loi, la police, mais à inventer un discours paradoxal (pur de toute *doxa*) : l'*invention* (et non la provocation) est un acte révolutionnaire : celui-ci ne peut s'accomplir que dans la fondation d'une nouvelle langue. La grandeur de Sade n'est pas d'avoir célébré le crime, la perversion, ni d'avoir employé pour cette célébration un langage radical; c'est d'avoir inventé un discours immense, fondé sur ses propres répétitions (et non sur celles des autres), monnayé en détails, surprises, voyages, menus, portraits, configurations, noms propres, etc. : bref, la contre-censure, ce fut, à partir de l'interdit, de faire du romanesque.

LA HAINE DU PAIN

Sade n'aime pas le pain. La raison en est doublement politique. D'une part, le Pain est emblème de vertu, de religion, de travail, de peine, de besoin, de pauvreté, et c'est comme objet *moral* qu'il doit être méprisé; d'autre part, c'est un moyen de chantage : les tyrans asservissent le peuple en menaçant de lui retirer le pain; c'est un symbole d'oppression. Le pain sadien est donc un signe contradictoire : moral et immoral, condamné dans le premier cas par le Sade contestataire et dans le second cas par le Sade républicain.

Le texte cependant ne peut s'arrêter au sens idéologique (même contradictoire) : au pain chrétien et au pain tyrannique s'ajoute un troisième pain, un pain « textuel »; ce pain-là est un « amalgame pestilentiel d'eau et de farine »; substance, il est pris dans le système proprement sadien, celui du corps; il est retranché de la nourriture des sérails parce qu'il produirait chez les sujets des digestions impropres à la coprophagie. Ainsi tournent les sens : carrousel de déterminations qui ne s'arrête nulle part et dont le texte est le mouvement perpétuel.

LE CORPS ÉCLAIRÉ

Sade, pas plus que personne, n'arrive à décrire la beauté; tout au plus peut-il l'affirmer, au moyen de références culturelles (« faite comme Vénus », « la taille de Minerve », « la fraîcheur de Flore »). Étant analytique, le langage n'a de prise sur le corps que s'il le morcelle; le corps total est hors du langage, seuls arrivent à l'écriture des morceaux de corps; pour *faire voir* un corps, il faut ou le déplacer. le réfracter dans la métonymie de son vêtement, ou le réduire à l'une de ses parties; la description redevient alors visionnaire, le bonheur d'énonciation se retrouve (peut-être parce qu'il y a une vocation fétichiste du langage) : le moine Severino trouve à Justine « une supériorité décidée dans la coupe des fesses, une chaleur, un étroit indicible dans l'anus ». Autant les corps des sujets sadiens sont fades, dès lors qu'ils sont totalement beaux (la beauté n'est qu'une *classe*), autant les fesses, le vit, l'haleine, le sperme trouvent une individualité immédiate de langage.

Il est cependant un moyen de donner à ces corps fades et parfaits une existence textuelle. Ce moyen est le théâtre (ce qu'a compris l'auteur de ces lignes en assistant à un spectacle de travestis donné dans un cabaret parisien). Pris dans sa fadeur, son abstraction (« la plus sublime gorge, de très jolis détails dans les formes, du dégagement dans les masses, de la grâce, du moelleux dans l'attachement des membres », etc.), le corps sadien est en fait un corps vu de loin dans la pleine lumière de la scène; c'est seulement un corps *très bien éclairé*, et dont l'éclairement même, égal, lointain, efface l'individualité (les imperfections de la peau, les couleurs mauvaises du teint), mais laisse passer la pure vénusté; totalement désirable et absolument inaccessible, le corps éclairé a pour espace naturel le petit théâtre, celui du cabaret, du fantasme ou de la présentation sadienne (le corps de la victime sadienne ne devient accessible que lorsqu'il descend de sa première description et se morcelle). C'est finalement la théâtralité de ce corps abstrait qui est rendue par des expressions ternes (*corps parfait, corps à ravir, faite à peindre*, etc.), comme si la description du corps avait été épuisée par sa mise (implicite) en scène : peut-être est-ce en somme la fonction de ce peu d'hystérie qui est au fond de tout théâtre (de tout éclairage) que de combattre ce peu de fétichisme qui est dans le « découpage » même de la phrase écrite. Quoi qu'il en soit, il m'a suffi d'éprouver une vive commotion devant les corps éclairés du Cabaret parisien, pour que les allusions (apparemment fort plates) de Sade à la beauté de ses sujets cessent de m'ennuyer et éclatent à leur tour de toute la lumière et l'intelligence du désir.

Juliette, Olympe et Clairwil sont aux prises avec dix pêcheurs de Baïes; comme elles sont trois, trois de ces pêcheurs sont d'abord satisfaits, mais ceux qui restent se disputent; Juliette les calme en leur prouvant qu'avec un peu d'art chacune des trois femmes peut occuper trois hommes (le dixième, épuisé, se contentera de regarder). Cet art est celui de la catalyse : il consiste à saturer le corps érotique en occupant simultanément les chefs-lieux du plaisir (la bouche, le sexe, l'anus); chaque sujet est trois fois comblé (dans les deux sens du mot) et de la sorte chacun des neuf partenaires trouve son emploi érotique (il est vrai que cet emploi est simple, alors que le plaisir des sujets est triple; c'est différence de classe : les libertins opposés aux agents, les riches aventurières aux pauvres pêcheurs).

La saturation de toute l'étendue du corps est le principe de l'érotique sadienne : on essaye d'employer (d'occuper) tous ses lieux distincts. Ce problème est celui-là même de la phrase (en quoi il faut parler d'une érotographie sadienne, la structure de la jouissance ne se distinguant pas de celle du langage) : la phrase (littéraire, écrite) est elle aussi un corps qu'il faut catalyser, en remplissant tous ses lieux premiers (sujet-verbe-complément) d'expansions, d'incises, de subordonnées, de déterminants; certes, cette saturation est utopique, car rien ne permet (structuralement) de terminer une phrase : on peut toujours lui ajouter un supplément, qui ne sera jamais, en droit, le dernier (cette *incertitude* de la phrase rendait Flaubert très malheureux); de même, bien que Sade ait tenté d'allonger sans cesse l'inventaire des sites érotiques, il sait bien qu'il ne peut fermer le corps amoureux, terminer la catalyse voluptueuse (la par-faire) et épuiser la combinatoire des unités : il reste toujours un supplément de demande, de désir, qu'on essaye illusoirement d'épuiser, soit en répétant ou permutant les figures (comptabilité des « coups »), soit en couronnant l'opération combinatoire (par définition, analytique), d'un sentiment extatique de continuité, de couverture, de perfusion.

Cette transcendance de la combinatoire a été également recherchée par le premier théoricien de la phrase, Denys d'Halicarnasse : il s'agissait de postuler une valeur *diffuse*, épandue sur l'addition et l'articulation des mots (valeur liée, rythmée, respiratoire). Or, passer de la catalyse sommative à une totalité existentielle, c'est ce qu'accomplit l'*inondation* du corps sadien (par le sperme, le sang, les excréments, les vomissements); une mutation du corps est alors obtenue : sur ce nouveau corps, les autres corps « pèsent » et « collent ». Le dernier état érotique (analogue au lié sublime de la phrase, qu'on appelle précisément en musique le *phrasé*), c'est de *nager* : dans les matières corporelles, les délices, le sentiment profond de la luxure. Toute cette combinatoire érotique, si raide dans son discontinu minutieux, appelle finalement une lévitation du corps amoureux : à preuve l'impossibilité même des figures proposées : pour les accomplir, si on les prend à la lettre, il faudrait un corps multiple et désarticulé.

SOCIAL

Les aventures sadiennes ne sont pas fabuleuses : elles se passent dans un monde réel, contemporain de la jeunesse de Sade, à savoir la société de Louis XV. L'armature sociale de ce monde est brutalement soulignée par Sade; les libertins appartiennent à l'aristocratie ou plus exactement (ou plus souvent) à la classe des financiers, traitants et prévaricateurs, en un mot : des exploitants, la plupart enrichis dans les guerres de Louis XV et dans les pratiques de corruption du despotisme; sauf si leur origine noble est un facteur de volupté (rapt des filles de bon ton), les sujets appartiennent au sous-prolétariat industriel et urbain (par exemple, les *chiffrecane* de Marseille, enfants « travaillant aux manufactures et qui fournissent aux paillards de cette ville les plus jolis objets qu'il soit possible de trouver ») ou aux serfs de la féodalité terrienne, là où elle subsiste (en Sicile, par exemple, où Jérôme, le futur moine de *Justine*, va s'installer, selon un projet proprement arcadien qui lui permettra, dit-il, de dominer également sur son champ et sur ses vassaux).

Cependant il se produit ce paradoxe : les rapports de classes sont, chez Sade, à la fois brutaux et indirects; énoncés selon l'opposition radicale des exploitants et des exploités, ces rapports ne passent pas dans le roman comme s'il s'agissait de les décrire à titre référentiel (ce qu'a fait un grand romancier « social » comme Balzac); Sade les prend différemment, non comme un reflet à peindre, mais comme *un modèle à reproduire.* Où? Dans la petite société des libertins; cette société est construite comme une maquette, une miniature; Sade y *transporte* la division de classe; d'un côté les exploitants, les possédants, les gouvernants, les tyrans; de l'autre le *petit peuple.* Le ressort de la division (comme dans la grande société) est la *rentabilité* (sadique) : « On établit... sur le petit peuple toute la vexation, toute l'injustice qu'on put imaginer, sûrs de retirer des sommes d'autant plus fortes de plaisirs que la tyrannie aurait été mieux exercée. » Entre le roman social (Balzac lu par Marx) et le roman sadien, il se produit alors une sorte de chassé-croisé : le roman social maintient les rapports sociaux dans leur lieu d'origine (la grande société) mais les anecdotise au gré de biographies particulières (le commerçant César Birotteau, le zingueur Coupeau); le roman sadien prend la *formule* de ces rapports, mais la transporte ailleurs, dans une société artificielle (c'est aussi ce qu'a fait Brecht dans *l'Opéra de quat'sous*). Dans le premier cas, il y a *reproduction,* au sens que le mot a en peinture, en photographie; dans le second cas, il y a, si l'on peut dire, *re-production,* production répétée d'une pratique (et non d'un « tableau » historique). Il s'ensuit que le roman sadien est plus réel que le roman social (qui est, lui, réaliste) : les pratiques sadiennes nous apparaissent aujourd'hui tout à fait improbables; il suffit cependant de voyager dans un pays sous-développé (analogue en cela, en gros, à la France du XVIIIe siècle) pour comprendre qu'elles y sont immédiatement opérables : même coupure sociale, mêmes facilités de recrutement, même disponibilité des sujets, mêmes conditions de retraite, et pour ainsi dire même impunité.

Lorsque Sade travaille, il se vouvoie : « Ne vous écartez en rien de ce plan... Détaillez le départ... adoucissez beaucoup la première partie... peignez... récapitulez avec soin... », etc. Ni *je* ni *tu*, le sujet de l'écriture se traite dans la plus grande distance, celle du code social : cette politesse adressée à soi-même, c'est un peu comme si le sujet se prenait avec des pincettes, ou en tout cas s'entourait de guillemets : suprême subversion qui, par opposition, remet à sa place (conformiste) la pratique systématique du tutoiement. Ce qui est remarquable, c'est que cette politesse, qui n'est nullement respect mais distance, Sade la met en œuvre lorsqu'il se trouve *en situation de travail, sous l'instance de l'écriture.* Écrire, c'est *d'abord* mettre le sujet (y compris son imaginaire d'écriture) en *citation*, rompre toute complicité, tout empoissement entre celui qui trace et celui qui invente, ou mieux encore, entre celui qui *a écrit* et celui qui se (re)lit (comme on le voit aux oublis — notamment de décompte des victimes — contre lesquels Sade s'admoneste).

Insérée dans l'univers brûlant des pratiques libidineuses, la politesse n'est pas un protocole de classe, mais bien plus fortement ce geste impérieux du langage par lequel le libertin ou l'écrivain, disons : le *pornographe*, celui qui, à la lettre, écrit la débauche, impose sa propre solitude et refuse la cordialité, la complicité, la solidarité, l'égalité, toute la moralité du rapport humain, c'est-à-dire : l'hystérie. La Duclos, l'historienne des *120 Journées*, qui vient de raconter une centaine d'histoires d'excréments, n'a cessé de les *bien dire* : elle règle son langage selon les arabesques exquises de la préciosité proustienne (« Une certaine cloche que nous allons entendre m'aurait convaincue que je n'aurais pas eu le temps de terminer la soirée, etc. »); et le libertin, au sein des ordres les plus crus, n'oublie jamais la distance qu'il doit à son collègue et à lui-même (« Et vous, madame, bandez-vous en voyant souffrir... ? — Vous le voyez, monsieur, répondit la tribade en montrant le bout de ses doigts inondés

du foutre de son con ») : les partenaires sadiens ne sont ni des camarades, ni des copains, ni des militants.

FIGURES DE RHÉTORIQUE

La pratique libidineuse est chez Sade un véritable texte — en sorte
qu'il faut parler à son sujet de *pornographie*, ce qui veut dire : non
pas le discours que l'on tient sur les conduites amoureuses, mais
ce tissu de figures érotiques, découpées et combinées comme les
figures rhétoriques du discours écrit. On trouve donc dans les scènes
d'amour, des configurations de personnages, des suites d'actions
formellement analogues aux « ornements » repérés et nommés par
la rhétorique classique. Au premier rang, la *métaphore*, qui substitue
indifféremment un sujet à un autre selon un même paradigme, celui
de la vexation. Ensuite, par exemple : l'*asyndète*, succession abrupte
de débauches (« Je parricidais, j'incestais, j'assassinais, je prostituais,
je sodomisais », dit Saint-Fond en bousculant les unités du crime
comme César celles de la conquête : *veni, vidi, vici*); l'*anacoluthe*,
rupture de construction par laquelle le styliste défie la grammaire
(*Le nez de Cléôpâtre, s'il eût été plus court...*) et le libertin celle des
conjonctions érotiques (« Rien ne m'amuse comme de commencer
dans un cul l'opération que je veux terminer dans un autre »). Et
de même qu'un écrivain audacieux peut créer une figure de style
inouïe, de même Rombeau et Rodin dotent le discours érotique
d'une figure nouvelle (sonder tour à tour et rapidement les postérieurs
alignés de quatre filles), à laquelle, en bons grammairiens, ils n'ou-
blient pas de donner un nom (le *moulin à vent*).

LA CRUDITÉ

Le lexique sexuel de Sade (lorsqu'il est « cru ») accomplit une
prouesse linguistique : celle de se maintenir dans la dénotation

pure (exploit ordinairement réservé aux langages algorithmiques de la science); le discours sadien semble alors s'édifier sur un tuf originel que rien ne peut percer, reculer, transformer; il détient une vérité lexicographique, les mots (sexuels) de Sade sont aussi purs que les mots du dictionnaire (le dictionnaire n'est-il pas cet objet en deçà duquel on ne peut remonter et d'où l'on peut seulement descendre? Le dictionnaire est comme la *limite* de la langue; se porter à cette limite relève de la même audace qui entraîne à la dépasser : il y a une analogie de situation entre le mot cru et le mot nouveau : le néologisme est une obscénité et le mot sexuel, s'il est direct, est toujours reçu comme s'il n'avait jamais été lu). Par la crudité du langage s'établit un discours *hors-sens*, déjouant toute « interprétation » et même tout symbolisme, un territoire hors douane, extérieur à l'échange et à la pénalité, sorte de langue adamique, entêtée à ne pas signifier : c'est, si l'on veut, *la langue sans supplément* (utopie majeure de la poésie).

Un supplément vient cependant au discours sadien : lorsqu'il apparaît que ce langage est *destiné*, pris dans un certain circuit de destination, celui qui enchaîne le praticien de la débauche (libertin ou sujet) à sa parole imaginaire, c'est-à-dire aux justifications (vertu ou crime) qu'il se donne : tendre la main à l'étron du partenaire est dégoûtant selon le langage de la victime, délicieux selon le langage du libertin; ainsi les « idées locales » (qui font l'adultère, l'infanticide, la sodomie, l'anthropophagie condamnés ici et révérés là), dont Sade s'autorise si souvent pour justifier le crime, sont en fait des opérateurs de langage : cette partie du langage qui reverse sur l'énoncé, comme le sens même, la particularité de sa destination : le supplément, c'est l'Autre; mais comme il n'est ni désir ni discours avant l'Autre et en dehors de l'Autre, le langage cru de Sade est la part utopique de son discours : utopie rare, courageuse, non en ce qu'elle dévoile la sexualité, ni même en ce qu'elle la naturalise, mais en ce qu'elle semble croire à la possibilité d'un lexique sans sujet (le texte sadien est cependant réduit par le retour phénoménologique du sujet, de l'auteur : celui qui énonce le « sadisme »).

LA MOIRE

Les langages (polychromes) du libertin et le langage (monotone) de la victime coexistent avec mille autres langages sadiens : le cruel, l'obscène, le persifleur, le poli, le pointu, le didactique, le comique, le lyrique, le romanesque, etc. Il se forme ainsi un *texte* qui donne (comme peu de textes le font) la sensation de son étymologie : c'est un tissu damassé, un tapis de phrases, un éclat changeant, une apparence ondée et chatoyante de styles, une moire de langages : un pluriel discursif s'accomplit, peu usuel dans la littérature française (par hérédité et contrainte classique, le Français s'ennuie du pluriel, il croit n'aimer que l'homogène, sublimé et vanté sous « l'unité de ton » — qui est précisément, à la lettre, le *monotone*). Un autre auteur français, au moins, a joué de ces changements multiples de langage : Proust, dont l'œuvre est par là débarrassée de tout ennui ; car, de même qu'il est possible de distinguer dans une étoffe calandrée plusieurs motifs, d'en isoler et d'en suivre un en oubliant les autres, au gré de l'humeur, de même on peut lire Sade, Proust, en « sautant », selon le moment, tel ou tel de leur langage (je puis, ce jour-ci, ne lire que le code Charlus et non le code Albertine, la dissertation sadienne et non la scène érotique); la multiplicité des codes fonde le pluriel du texte, mais finalement ce qui l'accomplit, c'est la désinvolture avec laquelle le lecteur « oublie » certaines pages, cet oubli étant en quelque sorte préparé et légalisé à l'avance par l'auteur lui-même, qui s'est dépensé à produire un texte *troué*, en sorte que celui qui « saute » les dissertations sadiennes reste dans la vérité du texte sadien.

IMPOSSIBILIA

Dans le jeu scolastique de la *disputatio*, il était parfois demandé au répondant (au candidat) de défendre des *impossibilia*, des thèses apparemment impossibles. De la même façon, en imaginant les attitudes de la débauche, Sade défend des « impossibilités ». S'il prenait en effet envie à quelque compagnie de réaliser à la lettre l'une des orgies décrites par Sade (tel ce médecin fort positif qui crucifia un cadavre réel pour montrer que la crucifixion décrite par les Évangiles était anatomiquement impossible ou en tout cas n'aurait pu produire le *Christ en croix* des peintres), la scène sadienne apparaîtrait vite hors de toute réalité : complication des combinaisons, contorsions des partenaires, dépense des jouisseurs et endurance des victimes, tout dépasse la nature humaine : il faudrait plusieurs bras, plusieurs peaux, un corps d'acrobate et la faculté de renouveler infiniment l'orgasme. Sade le sait, puisqu'il fait dire à Juliette, devant les fresques d'Herculanum : « On remarque... dans toutes ces peintures un luxe d'attitudes presque impossible à la nature et qui prouvent ou une grande souplesse dans les muscles des habitants de ces contrées, ou un grand dérèglement d'imagination. » L'invraisemblance anecdotique est encore plus forte : les victimes (sauf Justine) ne protestent ni ne luttent; on n'a pas à les maîtriser; dans un enclos où les quatre messieurs des *120 Journées* sont seuls, sans aide, sans police ni domestiques, aucun fouteur, aucun Hercule ne se saisit d'une chaise, d'un barreau, pour en assommer le libertin qui l'a condamné à mort. Seul pourrait passer du Livre dans le réel (pourquoi ne pas tester le « réalisme » d'un ouvrage en interrogeant, non la façon plus ou moins exacte dont il reproduit le réel, mais au contraire celle dont le réel pourrait ou ne pourrait pas effectuer ce que le roman énonce? Pourquoi le livre ne serait-il pas programme, plutôt que peinture?), seul pourrait constituer une sorte de Musée sadien, l'outillage de la débauche : la cassette aux godemichés, les machines voluptueuses et la boisson de Clairwil, le relevé topographique des lieux orgiaques, etc.

Pour le reste, tout est remis au pouvoir du discours. Ce pouvoir, on n'y pense guère, n'est pas seulement d'évocation, mais aussi de négation. Le langage a cette faculté de dénier, d'oublier, de dissocier le réel : écrite, la merde ne sent pas; Sade peut en inonder ses partenaires, nous n'en recevons aucune effluve, seul le signe abstrait d'un désagrément. Tel apparaît le libertinage : un fait de

langage. Sade oppose foncièrement le langage au réel, ou plus exactement se place sous la seule instance du « réel de langage », et c'est
pour cela qu'il a pu glorieusement écrire : « Oui, je suis un libertin,
je l'avoue : j'ai conçu tout ce qu'on peut concevoir dans ce genre-là,
mais je n'ai sûrement pas fait tout ce que j'ai conçu et ne le ferai
sûrement jamais. Je suis un libertin, mais je ne suis pas un criminel
ni un meurtrier. » Le « réel » et le livre sont *coupés* : aucune obligation ne les lie : un auteur peut parler infiniment de son œuvre, il
n'est jamais *tenu* de la garantir.

LE MOUCHOIR

« Eh quoi, madame, quelque chose repousse ce mouchoir ? Je n'ai
cru déguiser qu'un con, je découvre un vit ? Foutre ! Quel clitoris !
Retirez, retirez ce voile... » Indicible, ce linge féminin sur *ça*.

LA FAMILLE

Transgresser l'interdit familial consiste à altérer la netteté termi-
nologique du découpage parental, à faire qu'un seul signifié (tel
individu, une fille prénommée Olympe, par exemple) reçoive en
même temps plusieurs de ces noms, de ces signifiants que l'institution,
ailleurs, maintient soigneusement distincts, aseptiquement préservés
de toute confusion : « Olympe... réunit, dit le moine incestueux de
Sainte-Marie-des-Bois, le triple honneur d'être à la fois ma fille,
ma petite-fille et ma nièce. » Autrement dit, le crime consiste à transgresser la règle sémantique, à créer de l'homonymie : l'acte contre-
nature s'épuise dans une parole contre-langage, la famille n'est rien
de plus qu'un champ lexical, mais cette réduction n'est nullement
indifférente : elle assure son plein scandale à la plus forte des transgressions, celle du langage ; transgresser, c'est *nommer hors de la
division du lexique* (fondement de la société, au même titre que la
division des classes).

141

La Famille se définit à deux niveaux : son « contenu » (liens affectifs, sociaux, reconnaissance, respect, etc.), dont le libertin se moque, et sa « forme », le réseau des liens nominatifs, et par là même combinatoires, dont le libertin se joue, qu'il reconnaît pour mieux les truquer et sur quoi il fait porter des opérations syntaxiques; c'est à ce second niveau que pour Sade s'accomplit la transgression originale, celle qui suscite l'enivrement d'une invention continue, la jubilation de surprises incessantes : « Il raconte qu'il a connu un homme qui a foutu trois enfants qu'il avait de sa mère, desquels il y avait une fille qu'il avait fait épouser à son fils, de façon qu'en foutant celle-là, il foutait sa sœur, sa fille et sa belle-fille et qu'il contraignait son fils à foutre sa sœur et sa belle-mère. » La transgression apparaît ainsi comme une surprise de nomination : poser que le fils sera l'épouse ou le mari (selon que le père, Noirceuil, sodomise sa progéniture ou en est sodomisé) suscite chez Sade ce même émerveillement qui saisit le narrateur proustien lorsqu'il découvre que le côté de Guermantes et le côté de chez Swann se rejoignent : l'inceste, comme le temps retrouvé, n'est qu'une surprise de vocabulaire.

LES MIROIRS

L'Occident a fait du miroir, dont il ne parle jamais qu'au singulier, le symbole même du narcissisme (du Moi, de l'Unité réfractée, du Corps rassemblé). Les miroirs (au pluriel), c'est un tout autre thème, soit que deux miroirs se disposent l'un en face de l'autre (image Zen) de façon à ne jamais refléter que le vide, soit que la multiplicité des miroirs juxtaposés entoure le sujet d'une image circulaire dont par là même le va-et-vient est aboli. C'est le cas des miroirs sadiens. Le libertin aime à conduire son orgie au milieu des reflets, dans des niches revêtues de glaces ou dans des groupes chargés de multiplier une même image : « On encule l'Italien; quatre femmes nues l'entourent de tous côtés; l'image qu'il adore se reproduit en mille différentes manières sous ses yeux libertins; il décharge. »; cette dernière disposition a le double avantage d'identifier les sujets à des meubles (thème sadien : chez Minski, les tables, les fauteuils sont des filles) et de répéter l'objet partiel, couvrant, inondant ainsi le libertin d'une orgie lumineuse et liquide. Il se crée alors une surface de crime : l'espace ménager est *nappé* de débauche.

LA FRAPPE

Le langage de la débauche est souvent *frappé*. C'est un langage césarien, cornélien : « Mon ami, dis-je au jeune homme, vous voyez tout ce que j'ai fait pour vous; il est bien temps de m'en récompenser. — Qu'exigez-vous? — Votre cul. — Mon cul? — Vous ne posséderez pas Euphrémie que je n'aie obtenu ma demande. » On croit entendre le vieil Horace : « Que vouliez-vous qu'il fît contre trois ? — Qu'il mourût. » Ainsi, à travers Sade et grâce à lui, apparaît la Rhétorique : une machine de désir : il existe des *fantasmes de langage* : la concision, le resserrement, la détonation, la chute, en un mot la *frappe* est l'un de ces fantasmes (mot qui va pour la médaille, la fausse monnaie, le Champagne et le jeune voyou) : c'est le *coup* déflagratoire de l'inscription, l'orgasme qui termine la phrase au sommet de son plaisir.

RAPSODIE

Peu étudiée des grammairiens du récit (tel Propp), il existe une structure rapsodique de la narration, propre notamment au roman picaresque (et peut-être au roman proustien). Raconter, ici, ne consiste pas à faire mûrir une histoire puis à la dénouer, selon un modèle implicitement organique (naître, vivre, mourir), c'est-à-dire à soumettre la suite des épisodes à un ordre naturel (ou logique),

143

qui devient le sens même imposé par le « Destin » à toute vie, à tout voyage, mais à juxtaposer purement et simplement des morceaux itératifs et mobiles : le continu n'est alors qu'une suite d'apièçements, un tissu baroque de haillons. La rapsodie sadienne enfile ainsi sans ordre : des voyages, des vols, des meurtres, des dissertations philosophiques, des scènes libidineuses, des fuites, des narrations secondes, des programmes d'orgies, des descriptions de machines, etc. Cette construction déjoue la structure paradigmatique du récit (selon laquelle chaque épisode a son « répondant » quelque part plus loin, qui le compense ou le répare) et par là même, esquivant la lecture structuraliste de la narration, constitue un scandale du sens : le roman rapsodique (sadien) n'a pas de *sens*, rien ne l'oblige à progresser, mûrir, se terminer.

LE MOBILIER DE LA DÉBAUCHE

L'orgie se passe dans le plus beau salon, préparé dès le matin par les vieilles :

Le parquet est un vaste matelas piqué à 6 pouces d'épaisseur : conjonction tendancielle du lit et du plancher; civilisations où l'on marche déchaussé dans la chambre, non pour éviter de « salir » — scrupule petit-bourgeois qui oblige dans certains appartements les visiteurs à se munir de patins assez ridicules — mais pour accomplir l'intimité totale, celle du corps et de la surface mobilière, et lever ainsi à l'avance la censure imposée par la stature verticale, légale, morale, séparatrice; être debout est réputé viril; un être chaussé est un être qui ne peut *tomber* (ou qui ne peut que tomber); rester chaussé dans un lieu, c'est dire que le désir y est forclos (au Japon, certains Français répugnent à se déchausser, soit par peur de perdre leur virilité, soit par gêne d'avoir sous le soulier une chaussette trouée). Sur ce matelas, on a jeté deux ou trois douzaines de carreaux (coussins carrés) : c'est aujourd'hui l'usage de quelques « boîtes », dans lesquelles, sur ce point du moins, le sens de l'art de vivre n'a pas été complètement oblitéré par la vulgarité et la moralité.

Au fond est disposée une large ottomane entourée de glaces : les miroirs inondent d'images : de plus, dans l'ancienne économie, où le miroir coûtait un nombre élevé de journées de travail, il est le signe du plus haut luxe, le produit presque emblématique de l'exploitation (comme aujourd'hui, un yacht, un avion personnel).

Des tables roulantes d'ébène et de porphyre, répandue çà et là, supportent tous les accessoires du libertinage (verges, condoms, godemichés, pommades, essences, etc.); la séance de débauche a tout le protocole d'une opération chirurgicale; le débauché, où qu'il soit dans la pièce, doit avoir à portée de main les instruments de la volupté; il roule avec lui son petit attirail, tel une manucure ou une infirmière (ce simple détail de lecture fait la débauche terrible).

Un buffet énorme, en face de l'ottomane, offre à profusion tout le jour des mets que l'on peut tenir chauds « sans qu'on s'en aperçoive »; en somme la salle de débauche est un salon mondain; comme à n'importe quelle réception bourgeoise, il y a *au fond,* un buffet permanent (la différence, c'est que ce buffet sert, non pas à se désennuyer de la conversation du voisin, mais à réparer les pertes de sperme et de sang) : ce buffet *au fond,* c'est tout le cocktail.

Il y a une immensité de roses, d'œillets, de lilas, de jasmins, de muguets; cependant la débauche finira dans un océan d'excréments et de vomissures; les fleurs sont inaugurales; elles jalonnent le départ d'une dégradation qui fait partie du projet libertin.

En face du buffet, « artistement placé dans une nue », on voit une effigie du prétendu Dieu : tableau mécanique dans le goût des automates de l'époque, puisque plus tard, au gré d'un jeu qui met la débauche en loterie, sortiront de la bouche de l'Éternel des rouleaux de satin blanc où est inscrit, dans le style du Décalogue, le commandement de certaines postures : dans ce raout, on joue aussi aux petits papiers.

La débauche sadienne, dont on ne parle ordinairement qu'en fonction du système philosophique dont elle n'est plus alors que le chiffre abstrait, participe en fait d'un *art de vivre* : en elle s'inscrit la concomitance des plaisirs.

Au château de Silling, les sujets sont marqués (à l'aide de couleurs différentes). L'enjeu de cette marque est le dépucelage de chaque victime, qui est réservé à l'un ou à l'autre des quatre Messieurs (plus loin, c'est la vie même : les futurs survivants de la tuerie sont marqués d'un ruban vert); et comme deux lieux du corps féminin peuvent être déflorés, le devant et le derrière, la marque est double, d'appropriation (à tel libertin) et de localisation :

Messieurs	Devant	Derrière
duc de Blangis	rose	vert
l'Évêque	0	violet
Durcet	0	lilas
Curval	noir	jaune

(L'Évêque et Durcet ne se donnent aucun devant à dépuceler : c'est le degré zéro de la défloration, état signifiant, s'il en fut, puisqu'il affiche ces deux Messieurs comme de purs sodomites). Dans ce tableau, c'est l'être même de la marque, de toute marque, qui se dévoile : elle est d'un seul mouvement un indice de propriété (tel celui qu'on imprime au bétail), un acte d'identification (comme le numéro d'immatriculation d'un soldat) et un geste fétichiste, qui découpe le corps, promeut et oppose deux de ses parties. Toutes ces fins se retrouvent dans la nature linguistique de la marque : elle est, on le sait, l'acte fondamental du sens; et c'est bien un double paradigme que Sade construit devant nous : d'un côté les couleurs, de l'autre les Messieurs et les lieux. Dans le sens se rassemblent la propriété, la marchandise et le fétiche.

LE CASQUE

Le cri est la marque de la victime : c'est parce qu'elle choisit de crier, qu'elle se constitue victime; si, sous la même vexation, elle en venait à jouir, elle cesserait d'être victime, se transformerait en libertin : *crier/décharger*, ce paradigme est le départ du choix, c'est-à-dire du sens sadien. La meilleure preuve en est que si une phrase commence par le récit d'une vexation, il est impossible de savoir qui la prononce, parce qu'il est impossible de prévoir si elle se terminera en cris ou en jouissance : la phrase est libre, jusqu'au dernier moment : « Verneuil lui pinça alors les fesses d'une si cruelle force... » (on attend quelque chose comme : « que la victime ne put retenir ses cris »; mais ce que l'on obtient de la machine syntaxique, de la phrase-posture, c'est tout le contraire :)... « que la putain déchargea à l'instant. » (De même, inversement : « Mon enfant, dit le marquis, qu'une nuit passée avec Justine... avait étonnamment irrité contre cette fille. »)

Cependant, le cri, qui fonde la victime, n'en est aussi, contradictoirement, que l'attribut, l'accessoire, le supplément amoureux, une emphase. D'où le prix d'une machine qui isole le cri et le livre au libertin comme une partie délicieuse du corps victimal, c'est-à-dire comme un fétiche sonore : c'est le casque à tuyau dont on affuble le crâne de Mme de Verneuil; il est « organisé de manière que les cris que lui faisaient jeter les douleurs dont on l'accablait ressemblaient aux mugissements d'un bœuf ». Ce bonnet singulier a un triple avantage : la victime étant enfermée avec son suppliciant dans un cabinet solitaire, le casque transmet sa douleur aux autres libertins, comme par radio, sans qu'ils voient la scène : ils peuvent, plaisir suprême, l'imaginer, c'est-à-dire la fantasmer; de plus, sans rien lui ôter de son pouvoir signalétique, le casque dénature le cri, le frappe d'une étrangeté animale, transformant « la femme pâle, mélancolique et distinguée » en masse bovine ; enfin, le tuyau, vagin ou colon, injecte dans le libertin un bâton sonore, un étron musical (l'étron est très précisément l'excrément rendu à l'état de phallus) : le cri est un fétiche.

LA DIVISION DES LANGAGES

Dans ses *Notes littéraires*, Sade rapporte sans les commenter les paroles de Marie-Antoinette à la Conciergerie : « Les bêtes féroces qui m'environnent inventent chaque jour quelque humiliation qui ajoute à l'horreur de ma destinée ; elles distillent goutte à goutte, etc. » On a pensé (Lély) que Sade avait copié ces mots parce qu'il se les appliquait à lui-même. Je lis la citation différemment : comme un exemple de langage victimal : Antoinette et Justine parlent la même langue, le même style. Sade ne commente pas la situation de la reine déchue ; il ne définit pas la victime par la pratique dans laquelle elle est prise (« souffrir », « endurer », « recevoir ») ; chose exorbitante si l'on songe à la définition courante du sadisme et à la définition structurale du personnage, le « rôle » est ici tenu pour négligeable. La victime n'est pas : *celui ou celle qui subit*, mais : *celui ou celle qui tient un certain langage*. Dans le roman sadien — comme dans le roman proustien — la population se divise en classes non selon la pratique mais selon le langage, ou plus exactement selon la pratique du langage (indissociable de toute pratique réelle) : les personnages sadiens sont des *acteurs de langage*. (Si l'on voulait bien étendre cette notion au genre même du roman, ce serait toute une nouvelle grammaire narrative qu'il faudrait élaborer : face à l'épopée ou au conte, le roman n'est-il pas ce récit nouveau où la division du travail — des classes — se couronne d'une division des langages ?)

148

LA CONFESSION

La confession, cérémonie religieuse que Sade aime beaucoup mettre dans ses orgies, n'a pas pour seule fonction de parodier ignominieusement le sacrement de la pénitence ou d'illustrer la situation sadique du sujet qui se confie à son bourreau; elle introduit dans la « scène » (épisode érotique, combatif et théâtral) une duplicité de sens mais aussi d'espace. Comme dans le spectacle médiéval, deux lieux sont donnés à lire *en même temps,* soit que le libertin entende et voie simultanément ce qui est séparé par la théologie, à savoir l'Ame et la Chair (« Il veut que sa fille aille à confesse à un moine qu'il a gagné... ainsi il entend la confession de sa fille et il voit son cul tout à la fois. »), soit que le lecteur, placé devant le confessionnal comme devant une scène divisée, contemple, dans une seule vue, logée dans un premier compartiment, Justine agenouillée, les yeux levés au ciel en train de se confesser candidement, et dans l'autre le moine Severino écoutant Justine, un bardache à moitié nu entre les jambes. Ainsi se produit un objet esthétique complexe et paradoxal : le son et la vue sont réunis dans le spectacle (ce qui est banal) mais séparés par la barre du confessionnal, par la Loi classificatrice (*âme/chair*) qui fonde la transgression: la stéréographie est complète.

LA DISSERTATION, LA SCÈNE

Celui qui feuillette les livres de Sade sait bien que deux grandes formes typographiques y alternent : des pages serrées, suivies : c'est la grande dissertation philosophique; des pages coupées de blancs, d'alinéas, de point de suspension, d'exclamation, langage tendu, troué, vacillé : c'est l'orgie, la scène libidineuse ou criminelle. Quoi qu'en fasse la pratique de lecture (plus ou moins paresseuse), ces deux blocs sont à égalité : la dissertation est un objet érotique.

149

Ce n'est pas seulement la parole qui est érogène, ce n'est même pas ce qu'elle représente (la dissertation, par définition, ne peint rien du tout, mais le libertin, infiniment plus sensible que le lecteur sadien, s'y excite au lieu de s'y ennuyer), ce sont les formes les plus subtiles, les plus cultivées du discours : le *raisonnement* (« Quoi! dit Nicette, tu ne veux pas que je perde mon foutre, quand mon père raisonne si bien? »), le *système* (« Vous bandez, monseigneur?... — Cela est vrai... ces systèmes m'échauffent l'imagination. »), la *maxime* (« Cœur de Fer s'échauffait en exposant ces sages maximes. »). Juliette met donc naturellement la dissertation au rang des plaisirs exorbitants qu'elle exige du pape Braschi en échange de l'ardeur qu'elle lui promet; elle la cite pêle-mêle avec le vol, la messe noire, l'orgie somptueuse.

La dissertation « séduit », « anime », « égare », « électrise », « enflamme »; sans doute, dans la suite des orgies, elle a la fonction d'un repos, mais ce repos n'est pas seulement de plate récupération : c'est une énergie érotique qui s'élabore au cours de la dissertation. Le corps libertin, *dont fait partie le langage*, est un appareil homéostatique qui s'entretient lui-même : la scène oblige à une justification, à un discours; ce discours enflamme, érotise; le libertin « n'y tient plus »; une nouvelle scène s'enclenche, et ainsi de suite, *à l'infini*.

L'ESPACE DU LANGAGE

Au château de Silling, le haut lieu est le théâtre de débauche où l'on se rassemble chaque jour de cinq heures à dix heures du soir. Dans ce théâtre, tout le monde est acteur et spectateur. L'espace y est donc à la fois celui d'une *mimesis*, ici purement auditive, confiée au récit de l'Historienne, et d'une *praxis* (conjonction recherchée généralement sans succès par maint théâtre d'avant-garde).

Ce qui est exhaussé sur un trône, c'est la Parole, organe prestigieux de la *mimesis*. Les Messieurs, chacun sur son ottomane, dans sa niche, ayant à ses pieds son quatrain de sujets qui fait corps avec lui (c'est le cas de le dire), ne sont d'abord que des Auditeurs. Sur une banquette,

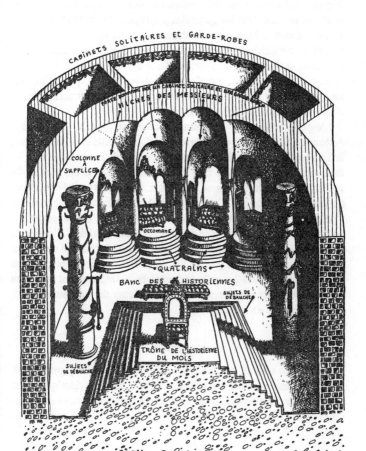

les trois historiennes qui ne sont pas de service forment la réserve de Parole, tout comme sur les gradins du proscenium les sujets qui ne sont pas retenus dans les quatrains appropriés forment la réserve de Luxure. Entre la Mimesis et la Praxis (dont les lieux seront les ottomanes et les cabinets d'entre-sol), il s'étend ainsi un espace intermédiaire, qui est celui de la virtualité : le discours traverse cet espace, et dans cette traversée se transforme peu à peu en pratiques : l'histoire racontée devient le programme d'une action qui a pour théâtre subsidiaire l'ottomane, la niche, le cabinet.

L'espace total est — diagrammatiquement — celui du langage. Autour du Trône, issus de la Parole fondatrice, celle de l'Historienne, la Langue, le Code, la Compétence, les unités de la combinatoire, les éléments du Système. Du côté des Messieurs, la Parole monnayée, la Performance, le Syntagme, la Phrase dite. Ainsi le théâtre sadien (et justement parce que c'est un théâtre) n'est pas ce lieu courant où l'on passe platement de la parole au fait (selon le dessin empirique de l'*application*), mais la scène du premier texte, celui de l'Historienne (venu lui-même de combien de codes antérieurs), traverse un espace de transformation et engendre un second texte, dont les premiers auditeurs deviennent les seconds énonciateurs : mouvement sans arrêt (ne sommes-nous pas à notre tour les lecteurs de ces deux textes?) qui est le propre de l'écriture.

L'IRONIE

Dans toute société, semble-t-il, la séparation des langages est respectée, comme si chacun d'eux était une substance chimique et ne pouvait entrer en contact avec un langage réputé contraire sans produire une déflagration sociale. Sade passe son temps à produire de ces métonymies explosives. La phrase, comme forme à la fois *suffisante et courte*, lui sert de chambre d'explosion. Les grands styles pompeux, culturels, codés par des siècles de littérature bien-pensante, sont cités à comparaître sur ce petit théâtre de la phrase, côte à côte avec le pornogramme : la *maxime* (Femmes recluses : « ce n'est pas la

vertu qui les lie, c'est le foutre »), l'*apostrophe lyrique* (« O mes compagnes, foutez, vous êtes nées pour foutre »), l'*éloge de la vertu* (« je
dois rendre à la fermeté de son caractère la justice de dire qu'il ne
déchargea pas une seule fois »), la *métaphore poétique* (« Obligé de
donner l'essor à un membre qu'il ne pouvait plus contenir dans sa
culotte, il nous fit naître, en le laissant s'élancer dans l'air, l'idée de
ces jeunes arbustes dégagés du lien qui courbe un instant leur cime
vers le sol. »)

On notera : il s'agit pour Sade de supprimer la division esthétique
des langages; mais cette suppression, Sade ne la fait pas selon un
modèle naturaliste, en laissant (illusoirement) affleurer à la surface de
l'écriture le langage direct, prétendument inculturel (ou populaire) :
la culture ne peut s'effacer d'un coup de parole : on peut seulement
la *ruiner* — laisser dans le champ nouveau du langage quelques moments mutilés de leur contexte et de leur superbe passée et cependant
encore pourvus de la grâce très élaborée, de la patine savoureuse, de
la distance nécessaire dont des siècles de politesse rhétorique les ont
empreints. Cette méthode de destruction (par citation déplacée de
survivances) constitue l'*ironie* de Sade.

LE VOYAGE

On ne dit jamais que Sade est un romancier picaresque (l'un
des rares de notre littérature). La raison apparente de cet « oubli » est
que l'aventurier sadien (Juliette, Justine) ne traverse jamais qu'une
seule et même aventure et que cette aventure est crue.

Cependant, la plus grossière des censures (celle des mœurs) masque
toujours un profit idéologique : si le roman sadien est exclu de notre
littérature, c'est que la pérégrination romanesque n'y est jamais quête
de l'Unique (l'essence de temps, de vérité, de bonheur) mais répétition du plaisir; l'errance sadienne est *malséante*, non parce qu'elle
est luxurieuse et criminelle, mais parce qu'elle est mate et comme
insignifiante, soustraite à toute transcendance, dépourvue de terme :
elle ne révèle pas, ne transforme pas, ne mûrit pas, n'éduque pas,

ne sublime pas, n'accomplit pas, ne récupère rien, sinon le présent lui-même, coupé, éblouissant, répété; aucune patience, aucune expérience; tout est porté sur l'heure au faîte du savoir, du pouvoir, du jouir; le temps n'arrange ni ne dérange, il répète, ramène, recommence, il n'a d'autre scansion que celle qui alterne la formation et la dépense du sperme.

Aussi y a-t-il dans le voyage sadien comme un irrespect porté à la « vocation » même du roman. *Juliette* et son envers *Justine* sont à la quête romanesque ce que la chasse est à l'amour sérieux : que font tous ces héros picaresques, Juliette, Jérôme, Brisa-Testa, Clairwil et même Justine, sinon draguer? Ils draguent des partenaires, des victimes, des complices, des bourreaux, des pigeons. Cependant, de même que la chasse amoureuse, loin d'obnubiler le dragueur, l'éveille sans cesse au monde qui l'entoure et lui donne une sensibilité plus fine, une curiosité mieux ouverte à l'espace complet dans lequel il marche (le dragueur — don Juan, si l'on préfère — voyage d'une façon somme toute plus désintéressée que le touriste, tout engoncé dans les stéréotypes de monuments, car pour lui la culture relève de l'*indirect*), de même la chasse sadienne fait défiler obliquement sous nos yeux — sans *se l'approprier* sous couvert de vérité — toute une Europe historique : classes sociales, pratiques d'argent, mœurs d'alimentation, de vêtement, de mobilier, de transport, et jusqu'à la galerie des grands de cette société monarchique (le roi de Naples, le cardinal de Bernis, Frédéric II, Henri, Sophie de Prusse, Victor-Amédée de Sardaigne, Catherine II, Pie VI), dont la peinture dérisoire n'exténue en rien le signe historique qu'ils constituent, envers et contre toutes les débauches irréelles auxquelles ils participent.

SADE PRÉCURSEUR

La débauche est imaginative; sous son impulsion Sade a inventé : la radiodiffusion (le casque à cris permet aux libertins de vivre sans les voir les supplices qui s'accomplissent dans la chambre d'à-côté :

la simple information sonore les fait jouir, comme elle permet à l'auditeur moderne de dramatiser) et le cinéma (chez Cardoville, aux environs de Lyon, Dolmus imagine une « scène divine » : chaque point du corps de Justine, échu par tirage au sort, sera molesté par un libertin : « tour à tour chacun fera lestement subir à la patiente la douleur dont il sera chargé. Ces tours se recommenceront avec vitesse; nous imiterons le battement d'une horloge » : disposition surprenante, car dans le film sadien, personne — aucun *moi* — n'est proprement le sujet de la séquence : personne ne la filme, personne ne la monte, personne ne la fait passer, personne ne la voit : une image continue s'enclenche sur rien d'autre que le temps, l'horloge).

POÉTIQUE DU LIBERTIN

Qu'est-ce qu'un paradigme? une opposition de termes qui ne peuvent être actualisés en même temps. Le paradigme est très moral : chaque chose en son temps, ne confondons pas, etc., et c'est ainsi que le sens, dispensateur de loi, de clarté, de sécurité, sera fondé. Chez Sade, la victime désire la loi, veut le sens, respecte le paradigme; le libertin, au contraire, s'emploie à les étendre, c'est-à-dire à les détruire; puisque la langue propose une séparation des fautes (*inceste/parricide*), le libertin fera tout pour en réunir les termes (être à la fois incestueux et parricide, et surtout forcer l'autre à commettre les deux fautes), la victime fera tout pour résister à ce brouillage et maintenir l'incommunication des morphèmes du crime (Cloris, victime de Saint-Fond qui le fait chanter, « est incestueux pour ne pas devenir parricide »).

LES MACHINES

De vraies machines, voluptueuses ou criminelles, Sade en invente souvent. Il y a des appareils à faire souffrir : machine à fustiger (elle dilate les chairs pour faire apparaître très vite le sang), machine à

155

violer (chez Minski), machine à engrosser (c'est-à-dire à préparer l'infanticide), machine à faire rire (produisant « une douleur si violente qu'il en résultait un rire sardonique, extrêmement curieux à examiner »). Il y a des machines à faire jouir; la plus étudiée est celle du prince de Francaville, le plus riche seigneur de Naples : celle qui s'y loge reçoit un godemiché doux et flexible qui, mû par un ressort, la soumet à un limage perpétuel; tous les quarts d'heure, sont lancés « dans le vagin des flots d'une liqueur chaude et gluante, dont l'odeur et la viscosité l'eussent fait prendre pour le sperme le plus pur et le plus frais », cependant qu'ailleurs, devenue fétichiste, la machine isole les parties à caresser et les renouvelle sans cesse; il y a enfin des machines qui combinent les deux fonctions, menacent cruellement pour obliger à prendre une bonne posture.

La machine sadienne ne s'arrête pas à l'automate (passion du siècle); c'est tout le groupe vivant qui est conçu, construit comme une machine. Dans son état canonique (Justine reçue au couvent de Sainte-Marie-des-Bois, par exemple), il comporte une substruction édifiée autour du patient fondamental (ici, Justine) et saturée lorsque tous les sites du corps sont occupés par des partenaires différents (« Mettons-nous tous les six sur elle »); à partir de cette architecture de base, définie par une règle de catalyse, s'éploie un appareil ouvert, les sites se multipliant dès qu'un partenaire s'ajoute au groupe initial; la machine ne tolère aucun solitaire, personne qui reste en dehors d'elle : à Dorothée, restée seule, Gernande indique comment entrer dans le groupe (« Coulez-vous sous ma femme »); la machine totale est un système pondéré (« Justine supporte tout, le poids entier est sur elle seule ») et ouvert : ce qui la définit, c'est l'enclenchement de toutes les pièces (« Les deux opérations s'enclavent, se marient »), qui se joignent les unes aux autres comme si elles connaissaient leur rôle par cœur et qu'on n'eût à chercher en rien à improviser «(Toutes les femmes se rangent dans l'instant sur six rangs »). Disposée, la machine vivante n'a plus qu'à partir, à « aller » (« Travaillons maintenant de concert »). Une fois en marche, elle tremble et bruit légèrement des mouvements convulsifs des participants (« Rien n'est lubrique à voir comme les mouvements convulsifs de ce groupe, composé de vingt et une personnes »). Il n'y a plus qu'à la surveiller, comme fait un bon O.S. qui arpente, lubrifie, resserre, règle, change, etc. (« Marthe parcourt les rangs; elle patine les couilles; elle veille à ce que... etc. »).

LES COULEURS

Les couleurs du vêtement sont des signes. D'un côté les classes d'âge et de fonctions (gitons, jockeys, agents, fouteurs, pucelles, filles de bon ton, duègnes, etc.), de l'autre des couleurs. Le rapport des deux corrélats est communément arbitraire (immotivé). Il se produit pourtant, comme dans la langue, une certaine analogie, un rapport proportionnel, une relation diagrammatique : la couleur croît en intensité, en éclat, en feu, au fur et à mesure que l'âge augmente et la volupté mûrit : les petits gitons (de sept à douze ans) sont en gris de lin, comme si ce gris pâle figurait la fadeur, la passivité naturelle de leur âge; plus âgés (de douze à dix-huit ans), ils deviennent pourpres, puis, passant agents (de dix-neuf à vingt-cinq ans), sont vêtus d'un frac mordoré; chez Gernande, les grands libertins ont un collant incarnat, leur tête est couronnée d'un turban, d'une flamme rouge.

SCÈNE, MACHINE, ÉCRITURE

« Quel délicieux groupe! », s'écrie la Durand devant Juliette « occupée » par quatre crocheteurs d'Ancône. Le groupe sadien, fréquent, est un objet pictural ou sculptural : le discours saisit les figures de débauche, non seulement arrangées, architecturées, mais surtout figées, encadrées, éclairées; il les traite en *tableaux vivants*. Cette forme de spectacle a été peu étudiée, sans doute parce que personne n'en fait plus. Faut-il rappeler pourtant que le tableau vivant a été pendant longtemps un divertissement bourgeois, analogue à la charade? enfant, l'auteur de ces pages a assisté plusieurs fois, lors de ventes de charité pieuses et provinciales, à de grands tableaux vivants — par exemple, *la Belle au bois dormant*; il ne savait pas que ce jeu mondain est de même essence fantasmatique que le tableau sadien ; il l'a peut-être compris plus tard en observant que le photogramme filmique s'oppose au film lui-même par un clivage qui n'est pas celui du prélèvement (on immobilise et on publie une scène tirée d'un grand film), mais, si l'on peut dire, de la perversion : le tableau vivant, en dépit du caractère apparemment total de la figuration, est un objet fétiche (immobiliser, éclairer, encadrer, reviennent à *morceler*), tandis que le film, comme *fonctionnement*, serait une activité hystérique (le cinéma ne consiste pas à animer des images; l'opposition de la photographie et du film n'est pas celle de l'image fixe et de l'image mobile; le cinéma consiste, non à figurer, mais à *faire fonctionner* un système).

Or, malgré la prédominance des tableaux, ce clivage existe dans le texte sadien, et, semble-t-il, selon le même enjeu. Car au « groupe », qui est en fait un photogramme de débauche, s'oppose, ici et là, la *scène en marche*. Le vocabulaire chargé de dénoter cet ébranlement du groupe (qui à vrai dire en transforme philosophiquement la nature) est vaste (*exécuter, suivre, varier, se rompre, se déranger*). On sait que cette scène qui « fonctionne » n'est rien d'autre qu'une machine sans sujet, puisqu'il n'y manque même pas un déclic automatique (« Minski s'approche de la créature accrochée, il lui manie les fesses, il les lui mord et *dans l'instant* toutes les femmes se rangent sur six rangs »). Devant le tableau vivant — et le tableau vivant est précisément cela *devant* quoi je me place — il y a par définition, par finalité même du genre, un spectateur, un fétichiste, un pervers (Sade, le narrateur, un personnage, le lecteur, peu importe). En revanche, dans la scène marchante, ce sujet, quittant son fauteuil, sa galerie, son parterre, franchit la rampe, entre dans l'écran, s'incorpore au temps, aux variations et aux ruptures de l'acte lubrique, en un mot à son jeu : il y a passage de la représentation au travail. (Il existe dans Sade un genre mixte, tableau vivant pour le lecteur, scène pour les partenaires : tel le grand syntagme baroque qui nous représente, dans une séquence très félinienne, Noirceuil et ses acolytes, par un froid glacial, vêtus d'immenses fourrures, faisant sauter, en la bombardant et en la flagellant de leurs longs fouets, la petite Fontange nue, sur un bassin gelé.)

Lieu historique transitoire, l'écriture sadienne contient cette double postulation. Tantôt elle *représente* le tableau vivant, respecte l'identité de la peinture et de l'écriture classique, qui croit n'avoir qu'à *décrire* ce qui a déjà été peint et qu'elle appelle le « réel »; elle s'autorise de ce référent *déjà* composé, pour en donner l'architecture (*à droite/à gauche*), les couleurs, les rapports, les nuances, la lumière, la touche. Tantôt elle sort de la représentation : ne pouvant figurer (éterniser) ce qui marche, varie, se rompt, elle perd le pouvoir de description et ne peut plus qu'*alléguer* le fonctionnement, en donner le chiffre générique : dire *ça marche*, ce n'est plus décrire, c'est relater. On voit par là l'ambiguïté de l'écriture classique : figurative, elle ne peut que donner des objets, des essences, situés spatialement, l'objet de l'art (pictural, littéraire) étant alors, inlassablement, le renouvellement du rapport de ces objets, c'est-à-dire de la *composition*; en un mot, elle ne peut décrire le travail; pour devenir « moderne », il lui faudra inventer une tout autre activité de langage que la description, et passer, comme Mallarmé l'a souhaité, du tableau vivant à la « scène » (à la scénographie).

Il a existé autrefois — variation des boîtes à musique dont la Suisse s'était fait une spécialité — des « tableaux mécaniques » : peintures tout à fait classiques dans lesquelles cependant quelque élément pouvait s'animer mécaniquement : c'étaient les aiguilles du clocher de village qui marchaient, ou la fermière qui mouvait ses jambes, ou la vache qui branlait la tête pour brouter. Cet état quelque peu archaïque est celui de la scène sadienne : c'est un tableau vivant dans lequel quelque chose se met à bouger; le mouvement s'y ajoute sporadiquement, le spectateur s'y adjoint, non par projection mais par intrusion; et ce mixte de figure et de travail devient alors très moderne : le théâtre a bien essayé de faire descendre les acteurs dans la salle, mais ce procédé est dérisoire; qu'on imagine plutôt le mouvement inverse : quelque grand tableau érotique, pensé, composé, encadré, illuminé, où les figures les plus libidineuses seraient représentées à travers la matérialité même des corps, et qu'au lieu que l'un des acteurs saute dans la salle pour provoquer vulgairement le spectateur, ce soit ce spectateur qui passe sur la scène et *s'adjoigne* à la posture : « Quel délicieux groupe! » disait la Durand, fondant ainsi le tableau vivant (« Juliette et les crocheteurs »), mais elle ne manque pas d'ajouter, transformant le tableau en production : « Tiens, mon amie... joignons-nous au tableau, formons l'un de ses épisodes »; l'ensemble, scène et tableau, serait *écrit* — et serait même de la pure écriture : une image ouverte à l'irruption d'un travail : parce qu'à partir du moment où la figuration disparaît, c'est le travail qui commence à s'inscrire (c'est toute l'aventure de la peinture non-figurative et du Texte).

LE LANGAGE ET LE CRIME

Imaginons (s'il est possible) une société sans langage. Voici qu'un homme y copule avec une femme, *a tergo* et en mêlant à son action un peu de pâte de blé. A ce niveau il n'y a aucune perversion. C'est seulement par l'adjonction progressive de quelques noms que le crime va *prendre* peu à peu, augmenter de volume, de consistance et atteindre la plus forte transgression. L'homme est nommé le *père* de la femme qu'il possède, dont il est dit qu'elle est *mariée*; la pratique amoureuse est ignominieusement classée, c'est la *sodomie*; et le peu de pain associé bizarrement à cette action devient, sous le nom d'*hostie*, un symbole religieux, dont le déni est sacrilège. Sade excelle à *ramasser* cette montée du langage : la phrase a pour lui cette fonction même de fonder le crime : la syntaxe, affinée par des siècles de culture, devient un art *élégant* (au sens où l'on dit, en mathématiques, d'une solution qu'elle est élégante); elle rassemble le crime avec exactitude et prestesse : « Pour réunir l'inceste, l'adultère, la sodomie et le sacrilège, il encule sa fille mariée avec une hostie. »

L'HOMONYMIE

Dans l'art de vivre sadien, il ne s'agit pas tellement de multiplier les plaisirs, de les faire tourner, d'en composer un carrousel enivrant (cette succession rapide définirait la Fête), que de les superposer (cette simultanéité définirait ce qu'on pourrait appeler le sybaritisme). Ainsi pour « tuer une femme grosse » : « il y a deux plaisirs pour un : c'est ce qu'on appelle *la vache et le veau* ». L'addition des plaisirs fournit un plaisir supplémentaire, qui est celui-là même de l'addition; dans l'arithmétique sadienne, la somme devient à son tour une unité qui s'ajoute à ses composants : « Et ne voyez-vous donc pas que ce que vous osez faire porte à la fois l'empreinte de deux ou trois crimes...? — Eh! mais vraiment, madame, c'est précisément ce que vous me dites qui va me faire le plus délicieusement décharger. » Ce plaisir supérieur, tout formel puisqu'il n'est en somme qu'une idée mathématique, est un plaisir de langage : celui de déplier un acte criminel en noms différents : « Me voilà donc à la fois incestueux, adultère, sodomite » : c'est l'homonymie qui est voluptueuse.

STRIP-TEASE

Il n'y a pas de strip-tease chez Sade. On dévoile le corps tout de suite (sauf pour quelques jeunes garçons dont on laisse « agréablement tomber la culotte au bas des cuisses »). Voici quelle en est peut-être la raison. Le strip-tease est un récit : il développe dans le temps les termes (les « classèmes ») d'un code qui est celui de l'Énigme : dès le début le dévoilement d'un secret est promis, puis retardé (« suspendu ») et finalement à la fois accompli et esquivé; comme le récit, le strip-tease est soumis à un ordre logico-temporel, c'est une contrainte de code qui le constitue (ne pas dévoiler le sexe en premier). Or chez Sade il n'y a aucun secret du corps à quérir, mais seulement une pratique à accomplir; l'invention, l'émotion, la surprise ne naissent pas d'un secret postulé puis violé, mais des efflorescences d'une combinatoire qui se cherche à ciel ouvert, à travers un ordre qui n'est pas logique mais seulement sériel : le sexe (ou le contre-sexe) n'est pas chez Sade un centre, l'objet retardé et consacré d'une *dernière* manifestation (d'une épiphanie); l'aventure commence plus loin : lorsque le corps, tout de suite dénudé, propose tous ses sites à molester ou à occuper. Comme récit, le strip-tease a la même structure que la Révélation, il fait partie de l'herméneutique occidentale. Sade, lui, est matérialiste en ce qu'il substitue au langage du secret celui de la pratique : ce qui met un terme à la scène, ce n'est pas le dévoilement de la vérité (le sexe), c'est la jouissance.

LE PORNOGRAMME

Ce que produit Sade, ce sont des pornogrammes. Le pornogramme n'est pas seulement la trace écrite d'une pratique érotique, ni même le produit d'un découpage de cette pratique, traitée comme une grammaire de lieux et d'opérations; c'est par une chimie nouvelle du texte, la fusion (comme sous l'effet d'une température ardente) du discours et du corps (« Me voilà toute nue, dit Eugénie à ses professeurs : dissertez sur moi autant que vous voudrez »), en sorte que, ce point atteint, l'écriture soit ce qui règle l'échange de Logos et d'Éros, et qu'il soit possible de parler de l'érotique en grammairien et du langage en pornographe.

LE LANGAGE D'AUGUSTIN

Augustin est ce jeune jardinier, d'une figure délicieuse, d'environ dix-huit ans, que les libertins du *Boudoir* adjoignent comme mannequin à leur enseignement et comme sujet à leurs plaisirs.

Sa place sociale est marquée deux fois : d'abord par le style paysan de ses phrases (« Ah! tatiguai! la belle bouche!... Comme ça vous est frais!... Il me semble avoir le nez sur les roses de not' jardin... Aussi, voyez-vous, monsieur, v'là l'effet que ça produit! »), style dont la société aristocratique met quelque snobisme à s'amuser comme d'un exotisme rural (« Ah! charmant!... charmant!... »); ensuite et plus sérieusement par l'exclusion de langage qu'on lui impose : au moment où Dolmancé s'apprête à lire à ses compagnons le pamphlet *Français, encore un effort si vous voulez être républicains,* on fait sortir Augustin « Sors, Augustin : ceci n'est pas fait pour toi; mais ne t'éloigne pas; nous sonnerons dès qu'il faudra que tu reparaisses. » Cela veut dire que : 1) la morale est renversée : là où l'on fait d'ordinaire sortir l'enfant pour qu'il n'entende pas les obscénités de l'adulte, Sade fait sortir le sujet de débauche pour qu'il n'entende pas le discours sérieux du libertin : sorte de carré noir mis sur l'écran du texte; 2) le discours qui fonde une morale républicaine est paradoxalement un acte de sécession linguistique; le langage populaire, d'abord frotté plaisamment au langage aristocratique, est ensuite simplement exclu de la Dissertation, c'est-à-dire de l'échange (entre Logos et Éros); la scène libidineuse est un mélange sans frein des corps mais non des langages : l'érotisme panique s'arrête à la division des sociolectes; Augustin représente cette dernière limite d'une façon exemplaire, dans la mesure où ce n'est pas une victime (aucun mal ne lui sera fait) : il est le *populaire* pur, qui donne la fraîcheur de son corps et de son langage : il n'est en rien humilié, mais seulement exclu.

COMPLAISANCE DE LA PHRASE

Ce qui étonnait le plus le moyen âge dans la virginité de la mère de Dieu, c'était la subversion de la grammaire : que le Créateur se fît créature, qu'une vierge conçût, se ramenait en somme (mais n'était-ce pas *le dernier approfondissement de la question*?) à une inversion des voix (le passif devenant l'actif), à un bouleversement des classes sémantiques : c'était l'alliance de mots qui stupéfiait, l'arrêt de toute règle grammaticale (*in hac verbi copula stupet omnis regula*). Sade sait lui aussi que la perfection d'une posture perverse est indissociable du modèle phrastique qui sert à l'énoncer. La symétrie rhétorique, le raccourci élégant, le balancement exact, la solidarité de l'actif et du passif, en un mot tout l'art du discours figure diagrammatiquement l'art même de la volupté : « Elle reçoit des doigts de cette jolie fille les mêmes services que sa langue me rend » : le paradigme, étendu par la plus élégante des figures, le chiasme (*recevoir.../...rendre*), devient la condition du plaisir, qui ne peut exister sans cette complaisance totale de la phrase, sans cette intelligence, à la fois mentale et complice, de la syntaxe.

METTRE DE L'ORDRE

« Attendu qu'il est tout à fait préférable pour le plaisir que les choses se passent d'une manière ordonnée... ». Ce n'est pas Sade qui parle ainsi; c'est Brahms (dans un avertissement aux dames du Chœur de Hambourg); mais ce pourrait être Sade (« Amis, dit ce moine, mettons de l'ordre à ces procédés »; ou encore : « Un moment, dit-elle tout en feu; un instant, mes bonnes amies, mettons un peu d'ordre à nos plaisirs, on n'en jouit qu'en les fixant », etc.).

L'ordre est nécessaire à la luxure, c'est-à-dire à la transgression; l'ordre est précisément ce qui sépare la transgression de la contestation. Cela vient de ce que la luxure est un espace d'échange : une pratique contre un plaisir; les « débordements » doivent être rentables; il faut donc les soumettre à une économie et cette économie doit être planifiée. Toutefois le planificateur sadien n'est ni un tyran, ni un propriétaire, ni un technocrate : il n'a aucun droit permanent sur le corps de ses partenaires, il n'a aucune compétence particulière; c'est un maître de cérémonie très passager et qui ne manque pas de rejoindre au plus vite la scène qu'il vient de programmer : il n'en reçoit aucune volupté supérieure à celle de ses complices; du plaisir qu'il vient d'organiser par sa parole, il ne retient pour lui rien *de plus*; il lance la marchandise-plaisir, mais celle-ci circule sans jamais s'appesantir d'une plus-value (jouissance ou prestige); sa fonction est assez analogue (d'où la rencontre avec l'innocent Brahms) à celle d'un chef d'orchestre qui dirige ses compagnons à partir de son pupitre de violon (en jouant lui-même), sans en recevoir aucune consécration. Celui qui règle le plaisir est d'ordinaire un sujet humain; mais les libertins peuvent très bien décider qu'en telle occasion ce sera le hasard : le jeu des postures se décide par une loterie qui attache tel numéro à telle partie du corps de la victime et chacun tire le numéro de son plaisir : le hasard apparaît alors comme un ordre désaliéné; la structure des plaisirs, nécessaire à leur marche, ne peut plus être suspectée de devoir rien à aucune Loi, à aucun sujet : toute rhétorique, et en somme toute politique, sont abolies sans que le groupe cesse de recevoir son plaisir de cette marche dont l'origine, se renversant, s'est perdue dans le jeu même qu'elle a produit.

L'ÉCHANGE

Nous pensons bien que le Récit (comme pratique anthropologique) est fondé sur quelque échange : un récit se donne, se reçoit, se structure *pour* (ou *contre*) quelque chose, dont il est en quelque sorte le *pesant*. Mais quoi? Certes, nous voyons bien que dans le *Sarrasine* de Balzac le récit s'échange contre une nuit d'amour et que dans *les Mille et Une Nuits* chaque nouvelle histoire vaut à Schéhérazade un jour de survie; mais c'est parce qu'alors l'échange est représenté dans le récit lui-même : le récit raconte le contrat dont il est l'enjeu. C'est ce qui se passe à deux reprises chez Sade. Tout d'abord il est constant dans son œuvre que l'auteur, les personnages et les lecteurs échangent une dissertation contre une scène : la philosophie est le prix (c'est-à-dire le sens) de la luxure (ou réciproquement). Et puis, dans les *120 Journées*, le récit équivaut (comme dans *les Mille et Une Nuits*) à la vie même : la première Historienne, dont la fonction, instituée par les libertins, est précisément d'élever l'Histoire (le Récit) comme un objet consacré au-dessus de l'assemblée (elle parle à partir d'un trône), de l'exposer comme une marchandise luxueuse, d'un prix énorme (n'a-t-on pas organisé ce voyage insensé à Silling, si semblable dans sa structure aux voyages d'initiation du conte populaire, pour y recueillir l'Herbe de Vie, l'Or de la Surpuissance, le talisman, le Trésor de Parole?), la Duclos, donc, en échange du grand Récit coprophagique (articulé en 150 anecdotes) qu'elle délivre somptueusement (« en déshabillé très léger et très élégant, beaucoup de rouge et des diamants ») obtient des Messieurs la promesse « qu'à quelqu'extrémité qu'on pût se porter contre les femmes dans le cours du voyage, elle serait toujours ménagée, et très certainement ramenée chez elle à Paris ». Ce contrat solennel, rien ne dit d'ailleurs qu'il sera honoré : que peut *valoir* la promesse d'un libertin, sinon la volupté même de trahir? Ainsi l'échange fuit : le contrat qui fonde le Récit n'est si fortement posé que pour être plus sûrement défait : l'avenir du signe est la trahison dans laquelle on va le prendre. Encore cette défection n'est-elle possible et désirable que parce qu'on a feint d'instituer solennellement l'échange, le signe, le sens.

LA DICTÉE

Comment *inventer* le plaisir? Voici la technique que Juliette recommande à la belle comtesse de Donis :

1. *Ascèse* : se priver d'idées libertines pendant quinze jours (au besoin en s'amusant d'autres choses).
2. *Disposition* : se coucher seule dans le calme, dans le silence et l'obscurité la plus profonde et se livrer à une légère pollution.
3. *Défoulement* : toutes les images, tous les égarements refoulés pendant la période d'ascèse sont libérés en désordre, mais sans exception : on en fait une revue générale : « la terre est à vous ».
4. *Choix :* parmi ces tableaux qui défilent, l'un s'impose et provoque la jouissance.

5. *Brouillon :* il faut alors rallumer les bougies et transcrire la scène sur un carnet (des tablettes).

6. *Correction :* après avoir dormi et laissé reposer ce premier brouillon, on recommence à fantasmer l'argument que l'on avait jeté sur le papier, en y ajoutant tout ce qui peut raviver une image un peu usée par la jouissance qu'elle a déjà donnée.

7. *Texte :* former un corps écrit de l'image ainsi retenue et augmentée. Il ne reste plus qu'à « commettre » cette image, ce crime, cette passion.

La scène de luxure est donc précédée et formée par une scène d'écriture. Tout se fait sous la dictée du fantasme : c'est lui qui tient la main. La scène réelle (ou prétendue telle puisqu'elle n'est pour finir que décrite — on devrait pouvoir dire : dé-écrite — par Sade) n'est rien d'autre qu'un *poème*, le produit d'une technique poétique, telle qu'ont pu la concevoir Horace ou Quintilien. On y retrouve les principaux moments du travail classique : s'isoler, se disposer, imaginer (se laisser visiter par la Muse), choisir, écrire, laisser reposer, corriger; la différence est que dans l'écriture sadienne la correction n'est jamais une rature, elle n'est pas castratrice, mais seulement augmentative : technique paradoxale pratiquée par très peu d'écrivains, dont cependant Rousseau, Stendhal, Balzac et Proust. Cette dictée du fantasme, on la retrouve chez Ignace de Loyola, dont l'*Exercice* spirituel est marqué des mêmes protocoles (enfermement, obscurité, imagination, répétition).

Le fantasme est *dictator* (celui qui au moyen âge, par profession, dictait les lettres et réglait l'art du *dictamen*, variété importante du genre rhétorique) : tout se joue dans cette *dictée*. La dictée décrite par Juliette ouvre une reversion des textes : l'image semble originer un programme, le programme un texte et le texte une pratique; mais cette pratique est elle-même écrite, elle se retourne (pour le lecteur) en programme, en texte, en fantasme : il ne reste plus qu'une inscription dont le temps est multiple : le fantasme *annonce* le souvenir, l'écriture n'est pas anamnèse, mais catamnèse. Et c'est bien le sens ambigu de toute dictée : cet exercice stupide, pris dans une gangue idéologique (puisqu'il a pour fonction d'assurer la maîtrise de l'orthographe, fait de classe s'il en fut), ce souvenir d'enfance ingrat est aussi la trace forte d'un texte antérieur, qu'il fait *prendre*, reconduisant ainsi dans notre vie quotidienne des fragments de langage et ouvrant la réalité à l'infini des textes : qu'est-ce que le « printemps », celui que très réellement nous attendons avec impatience (et la plupart du temps avec déception) vers la mi-avril, formant alors des désirs de campagne, procédant à des achats de vêtements nouveaux, sinon le « Printemps » de Jean Aicard, qu'on nous dicta un jour à l'école? L'origine du printemps, ce n'est pas la révolution elliptique de notre globe, c'est une dictée, c'est-à-dire une fausse origine. Lorsque le moine Sylvestre oblige Aurore et Justine à l'injurier et à le molester pendant qu'il s'apprête à immoler sa fille, il leur fait écrire *à l'avance* en blasphèmes et reproches le meurtre qu'il va commettre : Aurore et Justine « puisent leur texte dans le crime que le scélérat va commettre » : Sylvestre, scripteur émérite, sait bien que le temps de l'écriture *tourne* (comme une spirale).

LA CHAÎNE

La relation sadienne (entre deux libertins) n'est pas de réciprocité, mais de revanche (Lacan) : la revanche est un simple *tour*, un mouvement combinatoire : « Maintenant victime d'un moment, mon bel ange, et tout à l'heure persécutrice... » Ce glissement (de la reconnaissance à la simple disponibilité) garantit l'immoralité des rapports humains (les libertins sont complaisants mais aussi ils s'entretuent) : le lien n'est pas duel, mais pluriel; non seulement les amitiés, s'il s'en produit, sont révocables, elles circulent (Juliette, Olympe, Clairwil, la Durand), mais surtout toute conjonction érotique tend à s'échapper de la formule monogamique : au *couple* se substitue, dès qu'il est possible, la *chaîne* (que les religieuses de Bologne pratiquent sous le nom de *chapelet*). Le sens de la chaîne est de poser l'infini du langage érotique (la phrase elle-même n'est-elle pas une chaîne?), de casser le miroir de l'énonciation, de faire en sorte que le plaisir ne revienne pas là d'où il est parti, de gaspiller l'échange en dissociant les partenaires, de ne pas rendre à qui vous donne, de donner à qui ne vous rendra pas, de déporter la cause, l'origine *ailleurs*, de faire terminer par l'un le geste commencé par l'autre : toute chaîne étant ouverte, la saturation n'y est que provisoire : il ne s'y produit rien d'interne, rien d'*intérieur*.

LA GRAMMAIRE

Si je dis qu'il y a une grammaire érotique de Sade (une porno-grammaire) — avec ses érotèmes et ses règles de combinaison — cela ne signifie pas que j'ai quelque droit sur le texte sadien à la façon d'un grammairien (au fait, qui dénoncera l'*imaginaire* de nos linguistes?). Je veux dire seulement qu'au rituel de Sade (structuré par Sade lui-même sous le nom de *scène*) doit répondre (mais non correspondre) un autre rituel de plaisir, qui est le travail de lecture, la lecture au travail : il y a travail, dès lors que le rapport des deux textes n'est pas de simple compte rendu; la vérité ne guide pas ma main, mais le jeu, la vérité du jeu. Il n'y a pas de méta-langage, a-t-on dit : ou plutôt : il n'y a que des méta-langages : *langage sur langage*, comme un feuilleté sans noyau, ou mieux encore, parce qu'aucun langage n'a barre sur l'autre, comme au jeu de la main chaude.

LE SILENCE

A part les cris des victimes, à part les blasphèmes, qui les uns et les autres font partie de l'efficace du rituel, un profond silence est imposé à toute scène de luxure. Dans le grand raout organisé par la Société des Amis du Crime, « on eût entendu le vol d'une mouche ».

Ce silence est celui de la machine luxurieuse, si bien huilée, portée à une telle aisance de rendement qu'on n'y distingue que quelques soupirs, des frémissements; mais surtout, semblable à la retenue souveraine des grandes ascèses (tel le Zen), la création d'un espace sonore purifié atteste le contrôle des corps, la maîtrise des figures, l'ordre de la scène; c'est en un mot une valeur héroïque, aristocratique, une *vertu* : « Les sectateurs recueillis de Vénus ne voulaient troubler leurs mystères par aucune de ces vociférations dégoûtantes qui n'appartiennent qu'au pédantisme et à l'imbécillité » : c'est *pour ne pas* ressembler aux shows de l'érotisme petit-bourgeois que l'orgie sadienne est silencieuse.

LE BAS DE LA PAGE

Saint-Florent, l'un des persécuteurs de Justine, est par là même, de droit, un libertin adorable, conforme aux descriptions exaltées que Sade fait des héros du Mal. Cependant, en nous confiant dans une note que Saint-Florent a réellement existé à Lyon, Sade, très indigné, ajoute que ce fut un monstre exécrable. De même la liste des crimes, des débauches, des ignominies des papes sert à discréditer la religion, mais cette même liste, lue, si l'on peut dire, dans son endroit, est celle des grands libertins que Sade doit admirer. C'est que les deux instances, celle du « réel » et celle du discours, ne se rejoignent jamais : aucune dialectique ne les lie, ne les pourvoit d'un sens commun, articulé, et c'est pour cela que dans le cas de Saint-Florent, le « réel » est énoncé *à un autre niveau de la page*, dans une note qui en constitue le déchet (dans le cas des papes, la liste se détache typographiquement de l'histoire comme un supplément incongru, un appendice). Le Texte est cette coupure même; le Texte n'est pas irréaliste, il n'oublie pas pudiquement le référent qui pourrait gêner son mensonge; il coupe mais ne retranche pas; il s'accomplit dans un défi logique, une contradiction chaude.

LE RITUEL

La Loi, non. Le protocole, oui. Le plus libertaire des écrivains veut la Cérémonie, la Fête, le Rite, le Discours. Dans la scène sadienne, il y a quelqu'un qui « commande les décharges, prescrit les déplacements et préside à tout l'ordre des orgies »; il y a quelqu'un (mais rien de plus que « quelqu'un ») qui fait le programme, trace la perspective (ordonnateur et ordinateur). C'est le contraire de la triste partouze, où chacun veut garder sa « liberté », immédiatiser ses désirs. Le rite, venu d'*ailleurs*, mais d'aucune *personne*, est ici imposé à la jouissance. C'est ce qui sépare, semble-t-il, le texte sadien d'autres transgressions (le voyage drogué, par exemple). Étant combinatoire, l'érotique sadienne n'est ni sensuelle, ni mystique. La diffraction du sujet se substitue à sa dissolution.

NOMS PROPRES

Robustesse française des noms de roture : Foucolet (président masochiste de la Chambre des Comptes), Gareau, Ribert, Vernol, Maugin (mendiants), Latour (valet), Marianne Lavergne, Mariette Borelly, Mariannette Laugier, Rose Coste, Jeanne Nicou (prostituées de Marseille).

Rectitude des surnoms : Brise-cul (il a le vit tors), Bande-au-Ciel, Clairwil (le clair vouloir de la plus intraitable des libertines s'énonce à travers la plus aiguë des voyelles; son nom est de même signifiance que son régime alimentaire : blancs de volaille, eau glacée au citron et à la fleur d'oranger).

Beauté des noms naturels : généalogie de Sade : Bertrande de Bagnols, Émessende de Salves, Rostain de Morières, Bernard d'Ancezune, Verdaine de Trentelivres, Barthélémy d'Oppède, Sibille de Jarente, Diane de Simiane; Hugues, Raimonde, Augière, Guillaumette,

171

Audrivet, Aigline. — Soldats du fort de Miolans, où fut emprisonné Sade : La Violence, L'Allégresse.

Attention extrême, amoureuse, délicate et droite au signifiant souverain : le nom propre. Sade écrit dans ses notes : « Ziza, joli nom à employer », « Alaïre, joli nom à placer », « Maseline, joli nom d'homme à prendre ».

LE VOL, LA PROSTITUTION

Voler le riche, obliger le pauvre à se prostituer sont des opérations raisonnables, empiriques, banales; elles ne peuvent en rien constituer des transgressions. La transgression s'institue dans le *renversement* des délits; le crime ne commence qu'à la forme et le paradoxe est la plus pure des formes : il faut donc voler le pauvre et prostituer le riche; Verneuil ne consent à sodomiser Dorothée d'Esterval qu'à condition qu'elle exige de lui beaucoup d'argent : « Vous êtes riche, dit-on, madame? Eh bien, en ce cas, il faut que je vous paie : si vous étiez pauvre, je vous volerais. »

COUTURE

Parmi tous les supplices imaginés par Sade (liste monotone, peu terrifiante, tant elle relève le plus souvent de la boucherie, c'est-à-dire de l'abstraction), un seul est troublant : celui qui consiste à coudre le vagin ou l'anus de la victime (dans le *Boudoir*, dans l'orgie chez Cardoville et dans les *120 Journées*). Pourquoi? Parce qu'à première vue la couture déjoue la castration : comment coudre (qui est toujours : recoudre, fabriquer, réparer) peut-il équivaloir : *mutiler*, *amputer*, *couper*, créer une place vide?

En fait, l'inversion même des sexes, ou plutôt des *locaux*, réglant toute l'économie sadienne, cette inversion entraîne un renversement de la castration : là où *cela* est, il faut enlever *cela*; mais là où *cela* n'est pas, pour châtier la jouissance qui reste triomphalement attachée à ce manque, il ne reste plus qu'à le punir d'être vide, qu'à dénier ce vide, non en l'emplissant, mais en le clôturant, en le couturant. La couture est une castration seconde imposée à l'absence de pénis : la plus malicieuse des castrations en vérité, puisqu'elle fait rétrograder le corps dans les limbes du hors-sexe. Coudre, c'est finalement refaire un monde sans couture, renvoyer le corps divinement morcelé — dont le morcellement est la source de tout le plaisir sadien — dans l'abjection du corps lisse, du corps total.

LE FIL ROUGE

La voie sûre de l'horreur, c'est la métonymie : l'instrument est plus terrible que la torture (d'où l'importance, dans le mobilier sadien, de ces tables basses où *attendent* les accessoires du supplice). Pour coudre la victime, on usera d'une « grande aiguille où tient un gros fil rouge ciré. » Plus la synecdoque s'étend, plus l'instrument se détaille en ses éléments ténus (la couleur, la cire), plus l'horreur croît et s'imprime (si l'on nous avait raconté le *grain* du fil, cela serait devenu intolérable); elle s'approfondit ici d'une sorte de tranquillité ménagère, le petit matériel de couture restant présent dans l'instrument du supplice.

LE DÉSIR DE TÊTE

Chez Sade, les mâles (fouteurs, drauques, laquais, hercules) ont un emploi tout à fait subalterne : ni victimes ni libertins, ils n'accèdent pas au langage (on en parle très peu, tout juste par obligation de classement) et à peine au corps (par le nombre des coups dont ils sont capables et par les pintes de sperme qu'ils emplissent) : aucune mythologie de la virilité. Ce qui fait la valeur du sexe, c'est l'esprit. L'esprit est à la fois une *effervescence de tête* (« Je vis le foutre s'exhaler de ses yeux ») et une garantie de rentabilité, car l'esprit ordonne, invente, affine : « O ma bonne, lui dis-je, n'est-il pas vrai que plus on a d'esprit et mieux l'on goûte les douceurs de la volupté? »

173

SADISME

Le sadisme ne serait que le *contenu* grossier (vulgaire) du texte sadien.

LE PRINCIPE DE DÉLICATESSE

La marquise de Sade ayant demandé au marquis prisonnier de lui faire remettre son linge sale (connaissant la marquise : à quelle autre fin, sinon de le faire laver?), Sade feint d'y voir un tout autre motif, proprement sadien : « Charmante créature, vous voulez mon linge sale, mon vieux linge? Savez-vous que c'est d'une délicatesse achevée? vous voyez comme je sens le prix des choses. Écoutez, mon ange, j'ai toute l'envie du monde de vous satisfaire sur cela, car vous savez que je respecte les goûts, les fantaisies : quelque baroques qu'elles soient, je les trouve toutes respectables, et parce qu'on n'en est pas le maître, et parce que la plus singulière et la plus bizarre de toutes, bien analysée, remonte toujours à un principe de délicatesse. »

Certes, on peut lire Sade selon un projet de violence; mais on peut le lire aussi (et c'est ce qu'il nous recommande) *selon un principe de délicatesse*. La délicatesse sadienne n'est pas un produit de classe, un attribut de civilisation, un style de culture. C'est une puissance d'analyse et un pouvoir de jouissance : analyse et jouissance se réunissent au profit d'une exaltation inconnue de nos sociétés et qui par là même constitue la plus formidable des utopies. La violence elle, suit un code usé par des millénaires d'histoire humaine; et retourner la violence, c'est parler encore le même code. Le *principe de délicatesse* postulé par Sade peut seul constituer, dès lors que les assises de l'Histoire auront changé, une langue absolument nouvelle, la mutation inouïe, appelée à subvertir (non pas inverser, mais plutôt fragmenter, pluraliser, pulvériser) le sens même de la jouissance.

VIES

1. Voici la chaîne étymologique : *Sade, Sado, Sadone, Sazo, Sauza* (le village de Saze). Ce qui s'est perdu dans cette filiation, c'est encore une fois la lettre mauvaise. Pour aboutir au nom maudit, d'une éblouissante formule (puisqu'il a pu engendrer un nom commun), le Z qui zèbre et fustige s'est perdu en route, il a fait place à la plus douce des dentales.

2. Celui qui vit aujourd'hui à Saint-Germain-des-Prés doit se rappeler qu'il habite un espace sadien dégénéré. Sade est né dans une chambre de l'hôtel de Condé, c'est-à-dire quelque part entre la rue Monsieur-le-Prince et la rue de Condé ; il a été baptisé à Saint-Sulpice ; en 1777, sur lettre de cachet, c'est à l'hôtel de Danemark, rue Jacob (la rue même d'où est édité ce livre) que Sade est arrêté, c'est de là qu'on le conduit au donjon de Vincennes.

3. Au printemps de 1779, Sade étant emprisonné à Vincennes, on lui écrit que le verger de La Coste est éblouissant : cerisiers en fleur, pommiers et poiriers, houblon, vigne, sans parler des cyprès et des chênes, en plein épanouissement. La Coste fut pour Sade un lieu multiple, un lieu total ; tout d'abord lieu provençal, lieu originel, lieu du Retour (toute la première partie de sa vie, Sade, quoique fugitif, recherché, ne cessa d'y *revenir*, au mépris de toute prudence) ; et puis : espace autarcique, petite société complète dont il était le maître, source unique de ses revenus, lieu d'étude (il y avait sa bibliothèque),

177

lieu de théâtre (on y donnait la comédie) et lieu de débauche (Sade s'y faisait amener des domestiques, de petites paysannes, de jeunes secrétaires, pour des séances dont la marquise ne fut pas absente). Si donc Sade revenait sans cesse à La Coste, au sortir de randonnées agitées, ce n'était pas par le beau mouvement de purification campagnarde qui pousse le gangster d'*Asphalt Jungle* à venir mourir à la barrière de sa ferme natale; c'était, comme toujours, selon un sens pluriel, surdéterminé et probablement contradictoire.

4. Le dimanche de Pâques 1768, à 9 heures du matin, place des Victoires, abordant la mendiante Rose Keller (qu'il fustigera quelques heures plus tard dans sa maison d'Arcueil), le jeune Sade (il a vingt-huit ans) est vêtu d'une redingote grise, il porte une canne, un couteau de chasse — et un manchon blanc. (Ainsi, dans un temps où la photographie d'identité n'existe pas, c'est bien paradoxalement le rapport de police, tenu de décrire le costume du suspect, qui libère le signifiant : tel ce délicieux manchon blanc, objet mis là sans doute pour satisfaire au *principe de délicatesse* qui semble avoir toujours présidé à l'activité sadique du marquis — mais non forcément à celle des sadiques.)

5. Sade aime les costumes de théâtre (ces formes qui *font* le rôle); il en met dans sa vie même. Pour fouetter Rose Keller, il se déguise en fouetteur (gilet sans manche sur le torse nu; mouchoir autour de la tête, tel celui que portent les jeunes cuisiniers japonais pour dépecer prestement les anguilles vivantes); plus tard, il prescrit à sa femme le costume de deuil qu'elle doit porter pour rendre visite à un mari captif et malheureux : robe de chambre de couleur on ne peut plus sombre, poitrine couverte, « grand, très grand bonnet sans aucune espèce de coiffure dessous que les cheveux uniment peignés, un chignon et point de tresses ».

6. Sadisme *ménager* : à Marseille, Sade veut que Marianne Lavergne le fustige avec un martinet de parchemin garni d'épingles recourbées

178

qu'il sort de sa poche. Le cœur manquant à la fille devant un objet aussi exclusivement fonctionnel (tel un instrument de chirurgie), Sade fait acheter par la servante un *balai de bruyère*; cet ustensile est plus familier à Marianne; elle n'hésite plus à en frapper Sade sur le derrière.

7. La présidente de Montreuil fut objectivement responsable des persécutions dont son gendre fut l'objet pendant toute la première partie de sa vie (peut-être l'aimait-elle? Quelqu'un dit un jour à la marquise que la présidente « aimait M. de Sade à la folie »). Pourtant, l'impression qui reste de ce personnage, c'est celle d'une peur continue : la peur du scandale, du « pépin ». Sade apparaît comme une victime triomphante, encombrante; tel un enfant terrible, il ne cesse de « taquiner » (le taquinisme est une passion sadique) ses parents respectables et conformistes; partout où il passe, il provoque l'affolement peureux des gardiens de l'ordre : tous les responsables de son enfermement au fort de Miolans (roi de Sardaigne, ministre, ambassadeur, gouverneur) sont obsédés de son évasion possible — qui dès lors ne manque pas de se produire. Le couple qu'il forme avec ses persécuteurs est esthétique : c'est le spectacle malicieux d'un animal vif, élégant, à la fois obsédé et inventif, mobile et tenace, qui s'évade sans cesse et sans cesse revient au même point de son espace, cependant que de grands mannequins raides, peureux, pompeux, essayent tout simplement de le *contenir* (non de le *punir* : ceci ne viendra que plus tard).

8. Il suffit de lire la biographie du marquis après avoir lu son œuvre pour être persuadé que c'est un peu de son œuvre qu'il a mis dans sa vie — et non le contraire, comme la prétendue science littéraire voulait nous le faire croire. Les « scandales » de la vie de Sade ne sont pas les « modèles » des situations analogues que l'on trouve dans ses romans. Les scènes réelles et les scènes fantasmées ne sont pas dans un rapport de filiation; elles ne sont toutes que des duplications parallèles, plus ou moins fortes (plus fortes dans l'œuvre que dans la vie)

d'une scène *absente*, *infigurée*, mais non inarticulée, dont le lieu d'infiguration et d'articulation ne peut être que l'écriture : l'œuvre et la vie de Sade traversent à égalité cette région d'écriture.

9. Sade revenant d'Italie en France se fait envoyer de Naples à La Coste deux grandes caisses; la seconde, qui pèse six quintaux, voyage sur la tartane l'*Aimable Marie*; elle contient : « des marbres, des pierres, un vase ou amphore à conserver les vins grecs imprégnés de racine de corail, des lampes antiques, des urnes lacrymatoires, le tout à la manière des Grecs et des Romains, des médailles, des idoles, des pierres brutes et des pierres travaillées du Vésuve, une belle urne sépulcrale bien entière, des vases étrusques, des médailles, un morceau sculpté de serpentine, un morceau de nitre de la solfatare, sept éponges, une collection de coquilles, un petit hermaphrodite et un vase de fleurs, ... une assiette de marbre, garnie de toutes sortes de fruits singulièrement bien imités, deux chiffonniers de marbre du Vésuve, un bouquerini ou tasse des Sarrazins, un couteau à la napolitaine, des hardes, des estampes, ... les *Preuves de la Religion*, un traité de l'existence de Dieu, ... la *Dîme refusée*, un almanach des spectacles, la *Saxe galante*, un almanach militaire, des lettres de Pompadour, ... un dictionnaire des rimes » (cité par Lély, I, p. 568). Ce déballage est digne en tous points de Bouvard et Pécuchet : il suffirait de quelques ellipses, de quelques asyndètes pour lire ici un morceau de bravoure de Flaubert. Ce n'est pourtant pas le marquis qui a écrit cet inventaire; mais c'est lui qui a fait cette collection, dont l'hétéroclite culturel se porte en dérision au-devant de la culture elle-même. Preuve double : de l'énergie de baroque dont Sade était capable et de l'énergie d'écriture qu'il mettait dans ses actes mêmes.

10. Sade eut plusieurs jeunes secrétaires (Reillanne, le petit Malatié ou Lamalatié, Rolland, Lefèvre, dont il fut jaloux et dont il perça le portrait à coups de canif), ils font partie du jeu sadien en ceci qu'ils sont à la fois servants d'écriture et servants de débauche.

11. La suite des détentions de Sade a commencé en 1763 (il avait vingt-trois ans) et s'est terminée à sa mort en 1814. Cette détention quasi ininterrompue couvre toute la fin de l'ancien régime, la crise révolutionnaire et l'Empire, bref elle enjambe l'énorme mutation accomplie par la France moderne. De là il est facile d'accuser, au-delà des régimes très divers qui ont enfermé le marquis, une entité supérieure, une essence inaltérable de répression (gouvernement ou État), qui se serait affrontée en Sade à une essence symétrique d'Immoralisme et de Subversion : Sade serait le héros exemplaire d'un conflit éternel : moins aveugles (mais eux-mêmes n'étaient-ils pas des bourgeois?), Michelet et Hugo auraient très bien pu célébrer en lui le destin d'un martyr de la Liberté. Contre cette image facile, il convient de rappeler que les détentions de Sade furent *historiques*, qu'elles reçurent leur sens de l'Histoire qui se faisait, et comme cette Histoire fut précisément celle d'une mutation de société, il y eut, dans l'enfermement de Sade, au moins deux déterminations successives et différentes, et pour parler génériquement, deux prisons. La première (Vincennes, la Bastille, jusqu'à la libération de Sade par la Révolution naissante) ne fut pas un fait de justice. Bien que Sade eût été jugé et condamné à mort par le parlement d'Aix pour sodomie (affaire de Marseille), s'il fut arrêté en 1777 rue Jacob, après des années de fuite et de retours plus ou moins clandestins à La Coste, ce fut sous l'effet d'une *lettre de cachet* (émise par le roi à l'instigation de la présidente de Montreuil); l'accusation de sodomie levée et le jugement cassé, il retourna néanmoins en prison, car la lettre de cachet, indépendante de l'arrêt de cassation, persistait; et s'il fut libéré, c'est parce que les lettres de cachet furent abolies en 1790 par la Constituante; il est dès lors facile de comprendre que la première prison de Sade n'eut aucune signification pénale et pour tout dire morale; elle visait essentiellement à préserver l'honneur de la famille Sade-Montreuil des incartades du marquis; on discriminait en Sade un individu libertin, que l'on « contenait », et une essence familiale, que l'on sauvait; le contexte de ce premier enfermement est féodal : c'est la race qui commande, non les mœurs; le roi, dispensateur de la lettre de cachet, n'est ici que le

relais de la *gens*. — Tout autre est la seconde prison de Sade (de 1801 à sa mort : à Sainte-Pélagie, Bicêtre et Charenton); la Famille a disparu, c'est l'État bourgeois qui règne, c'est lui (et non plus une belle-mère prudente) qui fait enfermer Sade (sans plus de jugement d'ailleurs que la première fois) pour avoir écrit des livres infâmes. Une confusion s'établit (sous laquelle nous vivons encore) entre le moral et le politique. Cela avait commencé dès le Tribunal révolutionnaire (dont on connaît la sanction toujours fatale), qui comptait au nombre des ennemis du peuple « les individus qui cherchent à dépraver les mœurs »; cela a continué par le discours jacobin (« Il se targue, disent de Sade arrêté comme suspect ses bons camarades de la section des Piques, d'avoir été enfermé à la Bastille sous l'ancien régime pour faire valoir son patriotisme, tandis qu'il aurait nécessairement subi une autre punition exemplaire s'il n'eût pas été de la caste nobiliaire »; autrement dit, l'égalité bourgeoise faisait *déjà* de lui, rétroactivement, un criminel immoral); puis par le discours républicain (« *Justine*, dit en 1799 un journaliste, est un ouvrage aussi dangereux que le journal royaliste intitulé le *Nécessaire*, parce que si le courage fonde les républiques, les bonnes mœurs les conservent; leur ruine entraîne toujours celle des empires »); et enfin, au de-là de la mort de Sade, par le discours bourgeois (Royer-Collard, Jules Janin, etc.). La seconde prison de Sade (dans laquelle il est encore, puisque ses livres ne sont pas vendus librement) n'est plus le fait d'une famille qui se défend, mais d'un appareil d'État tout entier (justice, enseignement, presse, critique) qui, l'Église défaillante, censure les mœurs et règle la production littéraire. La première détention de Sade fut ségrégative (cynique); la seconde fut (est encore) pénale, morale; la première provenait d'une pratique, la seconde d'une idéologie; la preuve en est que, pour enfermer Sade, il fallut la seconde fois mobiliser une philosophie du sujet, fondée tout entière sur la norme et la déviance : pour avoir écrit des livres, Sade fut enfermé comme fou.

12. Dans certaines des lettres qu'il reçoit ou écrit à Vincennes ou à la Bastille, Sade voit ou met des énoncés de chiffres qu'il appelle des

signaux. Ces signaux lui servent à imaginer ou même à lire (s'il suppose que mis là intentionnellement par son correspondant ils ont échappé à la censure) le nombre des jours qui le séparent de la visite de sa femme, d'une autorisation de promenade ou de sa libération; ces signaux sont plutôt maléfiques (« Le système chiffral s'emploie contre moi... »). La manie du chiffre se lit à plusieurs niveaux; tout d'abord celui du redan névrotique : dans son œuvre romanesque, Sade n'arrête pas de comptabiliser : les classes de sujets, les orgasmes, les victimes; et surtout, tel Ignace de Loyola, par un retour proprement obsessionnel, il comptabilise ses propres oublis, ses fautes de numération; et puis le chiffre, dès lors qu'il dérange une rationalité (disons plutôt qu'il est fait sur mesure pour la déranger) a le pouvoir de déterminer une secousse surréaliste : « Le 18, à 9 heures, l'horloge sonne 26 coups », note Sade dans son Journal; enfin le chiffre est la voie triomphale d'accès au signifiant (ici, sous les espèces du jeu de mots) : (« L'autre jour, parce qu'il vous fallait un 24, un crocheteur envoyé pour contrefaire Monsieur Le Noir [c'était un lieutenant de police], et pour que j'écrivisse à Monsieur Le Noir, *vint* le 4; et voilà le 24. » Le chiffral est le commencement de l'écriture, sa mise en position libératoire : liaison, semble-t-il, censurée dans l'histoire de l'idéographie, si l'on en croit les travaux actuels de J.-L. Schefer sur les hiéroglyphes et les cunéiformes : la théorie phonologique du langage (Jakobson) éloigne indûment le linguiste de l'écriture; le calcul l'y ramènerait.

13. Sade avait une phobie : la mer. Que donnera-t-on à lire aux enfants des écoles : le poème de Baudelaire (« Homme libre, toujours tu chériras la mer... ») ou la confidence de Sade (« J'ai toujours craint et détesté prodigieusement la mer... »)?

14. L'un des principaux persécuteurs de Sade, le lieutenant de police Sartine, souffrait d'une affection psycho-pathologique, qui dans une société *juste* (égalisant les coups) l'eût fait enfermer, au même titre que sa victime : c'était un fétichiste de la perruque : « sa

bibliothèque renfermait toutes sortes de perruques, et de toutes les dimensions; il les endossait suivant l'occurrence »; il y avait entre autres la perruque à bonnes fortunes (à cinq petites boucles flottantes) et la perruque à interroger les criminels, sorte de coiffure à serpents, qu'on appelait l'*inexorable* (Lély, II, 90). Quand on connaît la valeur phallique de la tresse, on imagine combien Sade dut avoir envie de couper les postiches du flic abhorré.

15. Dans le jeu social de son temps, doublement compliqué puisque, chose rare dans le cours de l'histoire, il fut à la fois synchronique et diachronique, mettant en scène le tableau (apparemment immobile) des classes sous l'ancien régime et le changement de ces classes (par la Révolution), Sade est d'une mobilité extrême : c'est un véritable *joker* social, apte à occuper n'importe quelle case du système des classes; seigneur triomphant à La Coste, il se fait d'un autre côté supplanter auprès de la demoiselle Colet par un bourgeois, trésorier des revenus casuels, qui offre à l'actrice un magnifique sultan (meuble de toilette); plus tard membre de la section des Piques, il prend la figure socialement neutre de l'homme de lettres, de l'auteur dramatique; à la fois rayé de la liste des émigrés et par suite d'une confusion de prénoms y figurant toujours, il peut jouer selon les moments variés de l'Histoire (ou du moins sa famille le fait à sa place) de ce tourniquet d'appartenance sociale. Il honore la notion sociologique de *mobilité* sociale, mais dans un sens ludique: il est mobile, le long de l'échelle des classes, comme un ludion; c'est un *reflet*, mais allégeant ici encore la portée socio-économique du terme, il fait de ce reflet, non une imitation ou le produit d'une détermination, mais le *jeu* désinvolte d'un miroir. Dans ce carrousel de rôles, une seule fixité : celle des manières, du genre de vie, qui furent continûment aristocratiques.

16. Sade aimait beaucoup les chiens, barbets et couchants; il en eut à Miolans, il en demanda à Vincennes. Par quelle loi morale (ou ce qui serait pire : virile) la plus grande des subversions exclurait-elle la petite affectivité, celle qui s'attache aux animaux?

17. En 1783, à Vincennes, l'administration pénitentiaire refusa de laisser passer au prisonnier les *Confessions* de Rousseau. Sade commente : « Ils me font bien de l'honneur, de croire qu'un auteur déiste puisse être un mauvais livre pour moi; je voudrais bien en être encore là... Apprenez que c'est le point où l'on en est qui rend une chose bonne ou mauvaise, et non pas la chose en elle-même... Partez de là, Messieurs, et ayez le bon sens de comprendre, en m'envoyant le livre que je vous demande, que Rousseau peut être un auteur dangereux pour de lourds bigots de votre espèce, et qu'il devient un excellent livre pour moi. Jean-Jacques est à mon égard ce qu'est pour vous une *Imitation de Jésus-Christ*... » La censure est détestable à deux niveaux : parce qu'elle est répressive, parce qu'elle est bête; en sorte qu'on a toujours envie, contradictoirement, de la combattre et de lui faire la leçon.

18. Sade, transféré brusquement de Vincennes à la Bastille, fait toute une histoire parce qu'on ne lui a pas laissé emporter *son gros oreiller*, sans lequel il ne peut dormir, car il lui faut être couché la tête extraordinairement haute : « Ah! les barbares! »

19. La passion du marquis de Sade, toute sa vie, ne fut nullement l'érotique (l'érotique est bien autre chose qu'une passion); ce fut le théâtre : liaisons de jeunesse avec plusieurs demoiselles de l'Opéra, engagement du comédien Bourdais pour jouer à La Coste pendant six mois; et durant la tourmente, une seule idée: faire jouer ses pièces; à peine sorti de prison (1790), adresses répétées aux Comédiens français; et pour finir, on le sait, théâtre à Charenton.

20. Pluralité dont Sade est bien conscient, puisqu'il en sourit : en 1793, le citoyen Sade est proposé comme juré d'accusation dans un crime de droit commun (affaire de faux assignats) : c'est la double écoute du texte sadien (dont la vie de Sade fait partie) : l'apologiste et le juge du crime sont réunis dans le même sujet, comme l'anagramme saussurien est inscrit dans le vers védique (mais que reste-t-il d'un sujet qui se soumet avec allégresse à la double inscription?)

21. *La Philosophie dans le Couloir:* enfermé à Sainte-Pélagie (il a soixante-trois ans), Sade, dit-on, employa « tous les moyens que lui suggéra son imagination... pour séduire et corrompre les jeunes gens (assouvir sa lubricité sur de jeunes étourdis) que de malheureuses circonstances faisaient enfermer à Sainte-Pélagie et que le hasard faisait placer dans le même corridor que lui ».

22. Toute détention est un système; une lutte acharnée s'établit donc à l'intérieur de ce système, non pour s'en libérer (ceci échappait au pouvoir de Sade) mais pour en entamer les contraintes. Prisonnier quelque vingt-cinq années de sa vie, Sade eut à l'intérieur de sa prison deux fixations : la promenade et l'écriture, que gouverneurs et ministres ne cessèrent de lui concéder et de lui retirer comme un hochet à un enfant. Le besoin et le désir de promenade se comprennent tout seuls (encore que Sade en ait toujours lié la privation à un thème symbolique, celui de l'obésité). La répression de l'écriture vaut sans doute, tout le monde le voit, pour la censure du livre; mais ce qu'il y a ici de poignant, c'est que l'écriture est réprimée *dans sa matérialité*; on interdit à Sade « tout usage de crayon, d'encre, de plume et de papier ». Ce qui est censuré, c'est la main, le muscle, le sang, le doigt qui pointe le mot au-dessus de la plume. La castration est circonscrite, le sperme scriptural ne peut plus couler; la détention devient rétention; sans promenade et sans plume, Sade *s'engorge*, devient eunuque.

VIE DE FOURIER

1. Fourier : un *sergent de boutique* (« C'est un sergent de boutique qui va confondre les bibliothèques politiques et morales, fruit honteux des charlataneries antiques et modernes. »). Ses parents faisaient à Besançon le commerce des draps et des aromates : le *commerce*, exécré, l'*aromate*, adulé sous la forme du « corps subtil », l'*aromal*, qui (entre autres) parfumera les mers; il y a, paraît-il, à la cour du roi du Maroc un directeur des Essences royales : la monarchie mise à part, le directeur aussi, cette appellation eût enchanté Fourier.

2. Fourier a été contemporain des deux plus grands événements de l'Histoire moderne : la Révolution et l'Empire. Cependant, dans l'œuvre de ce philosophe social, aucune trace de ces deux séismes; Napoléon est seulement celui qui a voulu s'emparer du transport intérieur, dit *roulage*, qui est une Transition matérielle (la Transition politique est le *courtage*).

3. Éblouissements de Fourier : la Cité et ses jardins, les plaisirs du Palais-Royal. Un rêve de *brillant* passe dans son œuvre : la brillance sensuelle, celle de la nourriture et de l'amour : ce brillant qui se trouve déjà, par jeu de mots, dans le nom de son beau-frère, en compagnie duquel il voyagea et découvrit sans doute les mirlitons parisiens (petits pâtés aux aromates) : Brillat-Savarin.

187

4. Fourier déteste les vieilles villes : Rouen.

5. A Lyon, Fourier apprit le commerce; il fut ruiné par le naufrage d'un bateau à Livourne (le commerce maritime en Harmonie : cargaisons de reinettes et de citrons, échange de blé et de sucre).

6. Fourier ne survécut à la Terreur qu'« au prix de mensonges réitérés »; d'autre part, il encensa Napoléon « pour se conformer aux coutumes, usages de 1808, qui exigeaient de tout ouvrage une bouffée d'encens pour l'Empereur ».

7. Inter-texte : Claude de Saint-Martin, Sénancour, Restif de la Bretonne, Diderot, Rousseau, Kepler, Newton.

8. Fourier vécut de *rebuts* : ruiné, il eut des emplois subalternes, coupés d'expédients; écrivain, il vécut en pique-assiette, se faisant longuement héberger chez des parents et des amis, dans le Bugey et le Jura.

9. Ses connaissances : sciences mathématiques et expérimentales, musique, géographie, astronomie.

10. Sa vieillesse: il s'entoure de chats et de fleurs.

11. Sa concierge le trouva mort, en redingote, à genoux au milieu des pots de fleurs.

12. Fourier avait lu Sade.

TABLE

PRÉFACE 7

NOTE 17

SADE I 19

LOYOLA 43
    1. L'écriture, 45
    2. Le texte multiple, 47
    3. La mantique, 50
    4. L'imagination, 54
    5. L'articulation, 58
    6. L'arbre, 61
    7. Topiques, 63
    8. Assemblages, 65
    9. Le fantasme, 67
    10. Orthodoxie de l'image, 70
    11. La comptabilité, 73
    12. La balance et la marque, 76

FOURIER 81
    Départs, 83
    Le calcul de plaisir, 86
    L'argent fait le bonheur, 90
    Inventeur, non écrivain, 92
    Le méta-Livre, 94
    La savate flamboyante, 96
    Le hiéroglyphe, 100
    Libéral ? 104
    Passions, 105

L'arbre du bonheur, 105
Nombres, 107
Le brugnon, 111
Système/systématique, 114
La party, 116
Les compotes, 120
Le temps qu'il fait, 122

SADE II 125

Cacher la Femme, 127
Nourriture, 128
Le tapis roulant, 129
La censure, l'invention, 130
La haine du pain, 131
Le corps éclairé, 131
L'inondation, 133
Social, 134
Politesse, 136
Figures de rhétorique, 137
La crudité, 137
La moire, 139
Impossibilia, 139
Le mouchoir, 141
La famille, 141
Les miroirs, 142
La frappe, 143
Rapsodie, 143
Le mobilier de la débauche, 144
La marque, 146
Le casque, 147
La division des langages, 148
La confession, 149
La dissertation, la scène, 149
L'espace du langage, 150
L'ironie, 152
Le voyage, 153
Sade précurseur, 154
Poétique du libertin, 155
Les machines, 155
Les couleurs, 157

Scène, machine, écriture, 157
Le langage et le crime, 160
L'homonymie, 161
Strip-tease, 161
Le pornogramme, 162
Le langage d'Augustin, 162
Complaisance de la phrase, 163
Mettre de l'ordre, 164
L'échange, 165
La dictée, 166
La chaîne, 168
La grammaire, 169
Le silence, 169
Le bas de la page, 170
Le rituel, 171
Noms propres, 171
Le vol, la prostitution, 172
Couture, 172
Le fil rouge, 173
Le désir de tête, 173
Sadisme, 174
Le principe de délicatesse, 174

VIES   175

de Sade, 177
de Fourier, 187

IMP. BUSSIÈRE SAINT-AMAND (CHER)
D. L. 2ᵉ TRIM. 1980. Nº 5511 (468)

Collection Points

1. Histoire du surréalisme, *par Maurice Nadeau*
2. Une théorie scientifique de la culture, *par Bronislaw Malinowski*
3. Malraux, Camus, Sartre, Bernanos, *par Emmanuel Mounier*
4. L'Homme unidimensionnel, *par Herbert Marcuse* (épuisé)
5. Écrits I, *par Jacques Lacan*
6. Le Phénomène humain, *par Pierre Teilhard de Chardin*
7. Les Cols blancs, *par C. Wright Mills*
8. Stendhal, Flaubert, *par Jean-Pierre Richard*
9. La Nature dé-naturée, *par Jean Dorst*
10. Mythologies, *par Roland Barthes*
11. Le Nouveau Théâtre américain, *par Franck Jotterand*
12. Morphologie du conte, *par Vladimir Propp*
13. L'Action sociale, *par Guy Rocher*
14. L'Organisation sociale, *par Guy Rocher*
15. Le Changement social, *par Guy Rocher*
16. Les Étapes de la croissance économique, *par W. W. Rostow*
17. Essais de linguistique générale, *par Roman Jakobson* (épuisé)
18. La Philosophie critique de l'histoire, *par Raymond Aron*
19. Essais de sociologie, *par Marcel Mauss*
20. La Part maudite, *par Georges Bataille* (épuisé)
21. Écrits II, *par Jacques Lacan*
22. Éros et Civilisation, *par Herbert Marcuse* (épuisé)
23. Histoire du roman français depuis 1918,
    par Claude-Edmonde Magny
24. L'Écriture et l'Expérience des limites, *par Philippe Sollers*
25. La Charte d'Athènes, *par Le Corbusier*
26. Peau noire, Masques blancs, *par Frantz Fanon*
27. Anthropologie, *par Edward Sapir*
28. Le Phénomène bureaucratique, *par Michel Crozier*
29. Vers une civilisation du loisir ?, *par Joffre Dumazedier*
30. Pour une bibliothèque scientifique, *par François Russo* (épuisé)
31. Lecture de Brecht, *par Bernard Dort*
32. Ville et Révolution, *par Anatole Kopp*
33. Mise en scène de Phèdre, *par Jean-Louis Barrault*
34. Les Stars, *par Edgar Morin*
35. Le Degré zéro de l'écriture, *suivi de* Nouveaux Essais critiques
    par Roland Barthes
36. Libérer l'avenir, *par Ivan Illich*
37. Structure et Fonction dans la société primitive
    par A. R. Radcliffe-Brown
38. Les Droits de l'écrivain, *par Alexandre Soljénitsyne*
39. Le Retour du tragique, *par Jean-Marie Domenach*

41. La Concurrence capitaliste
    par Jean Cartell et P.-Y. Cossé (épuisé)
42. Mise en scène d'Othello, *par Constantin Stanislavski*
43. Le Hasard et la Nécessité, *par Jacques Monod*
44. Le Structuralisme en linguistique, *par Oswald Ducrot*
45. Le Structuralisme : Poétique, *par Tzvetan Todorov*
46. Le Structuralisme en anthropologie, *par Dan Sperber*
47. Le Structuralisme en psychanalyse, *par Moustafa Safouan*
48. Le Structuralisme : Philosophie, *par François Wahl*
49. Le Cas Dominique, *par Françoise Dolto*
51. Trois Essais sur le comportement animal et humain
    par K. Lorenz
52. Le Droit à la ville, *suivi de* Espace et Politique
    par H. Lefebvre
53. Poèmes, *par Léopold Sédar Senghor*
54. Les Élégies de Duino, *suivi de* les Sonnets à Orphée
    par Rainer Maria Rilke (édition bilingue)
55. Pour la sociologie, *par Alain Touraine*
56. Traité du caractère, *par Emmanuel Mounier*
57. L'Enfant, sa « maladie » et les autres, *par Maud Mannoni*
58. Langage et Connaissance, *par Adam Schaff*
59. Une saison au Congo, *par Aimé Césaire*
60. Une tempête, *par Aimé Césaire*
61. Psychanalyser, *par Serge Leclaire*
62. Le Budget de l'État, *par Jean Rivoli*
63. Mort de la famille, *par David Cooper*
64. A quoi sert la Bourse ?, *par Jean-Claude Leconte*
65. La Convivialité, *par Ivan Illich*
66. L'Idéologie structuraliste, *par Henri Lefebvre*
67. La Vérité des prix, *par Hubert Lévy-Lambert*
68. Pour Gramsci, *par Maria-Antonietta Macciocchi*
69. Psychanalyse et Pédiatrie, *par Françoise Dolto*
70. S/Z, *par Roland Barthes*
71. Poésie et Profondeur, *par Jean-Pierre Richard*
72. Le Sauvage et l'Ordinateur, *par Jean-Marie Domenach*
73. Introduction à la littérature fantastique, *par Tzvetan Todorov*
74. Figures I, *par Gérard Genette*
75. Dix Grandes Notions de la sociologie, *par Jean Cazeneuve*
76. Mary Barnes, un voyage à travers la folie
    par Mary Barnes et Joseph Berke
77. L'Homme et la Mort, *par Edgar Morin*
78. Poétique du récit, *par Roland Barthes, Wayne Booth*
    Philippe Hamon, Wolfgang Kayser
79. Les Libérateurs de l'amour, *par Alexandrian*
80. Le Macroscope, *par Joël de Rosnay*

81. Délivrance, *par Maurice Clavel et Philippe Sollers*
82. Système de la peinture, *par Marcelin Pleynet*
83. Pour comprendre les média, *par M. Mc Luhan*
84. L'Invasion pharmaceutique, *par J.-P. Dupuy et S. Karsenty*
85. Huit Questions de poétique, *par Roman Jakobson*
86. Lectures du désir, *par Raymond Jean*
87. Le Traître, *par André Gorz*
88. Psychiatrie et Anti-Psychiatrie, *par David Cooper*
89. La Dimension cachée, *par Edward T. Hall*
90. Les Vivants et la Mort, *par Jean Ziegler*
91. L'Unité de l'homme, *par le Centre Royaumont*
    1. Le primate et l'homme, *par E. Morin et M. Piattelli-Palmarini*
92. L'Unité de l'homme, *par le Centre Royaumont*
    2. Le cerveau humain, *par E. Morin et M. Piattelli-Palmarini*
93. L'Unité de l'homme, *par le Centre Royaumont*
    3. Pour une anthropologie fondamentale
    par E. Morin et M. Piattelli-Palmarini
94. Pensées, *par Blaise Pascal*
95. L'Exil intérieur, *par Roland Jaccard*
96. Semeiotiké, recherches pour une sémanalyse, *par Julia Kristeva*
97. Sur Racine, *par Roland Barthes*
98. Structures syntaxiques, *par Noam Chomsky*
99. Le Psychiatre, son « fou » et la psychanalyse, *par Maud Mannoni*
100. L'Écriture et la Différence, *par Jacques Derrida*
101. Le Pouvoir africain, *par Jean Ziegler*
102. Une logique de la communication
     par P. Watzlawick, J. Helmick Beavin, Don D. Jackson
103. Sémantique de la poésie, *par T. Todorov, W. Empson*
     J. Cohen, G. Hartman et F. Rigolot
104. De la France, *par Maria-Antonietta Macciocchi*
105. Small is beautiful, *par E. F. Schumacher*
106. Figures II, *par Gérard Genette*
107. L'Œuvre ouverte, *par Umberto Eco*
108. L'Urbanisme, *par Françoise Choay*
109. Le Paradigme perdu, *par Edgar Morin*
110. Dictionnaire encyclopédique des sciences du langage
     par Oswald Ducrot et Tzvetan Todorov
111. L'Évangile au risque de la psychanalyse,
     par Françoise Dolto
112. Un enfant dans l'asile, *par Jean Sandretto*
113. Recherche de Proust, *collectif*
114. La Question homosexuelle, *par Marc Oraison*
115. De la psychose paranoïaque dans ses rapports avec la personnalité,
     par Jacques Lacan
116. Sade, Fourier, Loyola, *par Roland Barthes*